W9-BAI-463

GREGS TAGEBUCH 7

Dumm gelaufen!

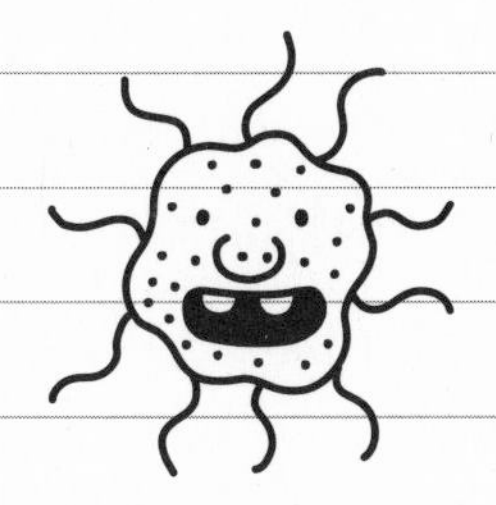

AUSSERDEM VON JEFF KINNEY ERSCHIENEN

Gregs Tagebuch – Von Idioten umzingelt!

Gregs Tagebuch 2 – Gibt's Probleme?

Gregs Tagebuch 3 – Jetzt reicht's!

Gregs Tagebuch 4 – Ich war's nicht!

Gregs Tagebuch 5 – Geht's noch?

Gregs Tagebuch 6 – Keine Panik!

Gregs Tagebuch 8 – Echt übel!

Gregs Tagebuch 9 – Böse Falle!

Gregs Tagebuch – Mach's wie Greg!

Gregs Filmtagebuch – Endlich berühmt!

Demnächst: Noch mehr Gregs Tagebücher

INTERNET

www.gregstagebuch.de / www.wimpykid.com

Jeff Kinney

GREGS TAGEBUCH 7

Dumm gelaufen!

Aus dem Englischen
von Dietmar Schmidt

Baumhaus Verlag

ISBN 978-3-8339-3631-9

© 2012 Baumhaus Verlag
in der Bastei Lübbe AG, Köln

Die Originalausgabe erschien 2012 unter dem Titel
»Diary of a Wimpy Kid – The third wheel« bei Amulet Books,
einem Imprint von Harry N. Abrams, Inc., New York

Wimpy Kid text and illustrations copyright © 2012 Wimpy Kid, Inc.
DIARY OF A WIMPY KID®, WIMPY KID™, and the
Greg Heffley design™ are trademarks of Wimpy Kid, Inc.
All rights reserved.

Text und Illustrationen: Jeff Kinney

Lektorat: Anna Hahn
Layout und Typografie: Helmut Schaffer
in Anlehnung an das amerikanische Original
Covergestaltung: Tanja Østlyngen unter
Verwendung einer Illustration von Jeff Kinney
Druck und Bindung: GGP Media GmbH, Pößneck

Alle Rechte vorbehalten

www.baumhaus-verlag.de

6 8 10 9 7

Ein verlagsneues Buch kostet in Deutschland und Österreich jeweils überall dasselbe.
Damit die kulturelle Vielfalt erhalten und für die Leser bezahlbar bleibt, gibt es die gesetzliche
Buchpreisbindung. Ob im Internet, in der Großbuchhandlung, beim lokalen Buchhändler, im Dorf
oder in der Großstadt – überall bekommen Sie Ihre verlagsneuen Bücher zum selben Preis.

FÜR GRAM

JANUAR

Sonntag

Ich wünschte, ich hätte schon viel früher angefangen, Tagebuch zu schreiben, denn wer auch immer später mal meine Biografie verfasst, wird wissen wollen, was in meinem Leben vor der Junior Highschool passiert ist.

Zum Glück erinnere ich mich an so gut wie alles, was ich seit meiner Geburt erlebt habe. Ja, ich kann mich sogar an Sachen erinnern, die VOR meiner Geburt passiert sind.

Damals gab es nur mich. Ich schwamm im Dunkeln und schlug Saltos rückwärts, und wann immer mir danach war, machte ich ein Nickerchen.

Aber eines Tages, mitten in einem netten Schläfchen, weckten mich komische Geräusche von draußen.

Damals begriff ich noch nicht, was ich da hörte, aber später fand ich heraus, dass Mom sich Kopfhörer auf den Bauch gelegt hatte und Musik herausdudeln ließ.

Wahrscheinlich dachte Mom, sie könnte aus mir so eine Art Genie machen, wenn sie mir an jedem Tag vor meiner Geburt so klassisches Zeug wie Mozart und so vorspielte.

Zu den Kopfhörern gehörte auch ein Mikrofon, und wenn Mom nicht gerade Musik abspielte, dann erzählte sie mir haarklein, was sie den Tag über gemacht hatte.

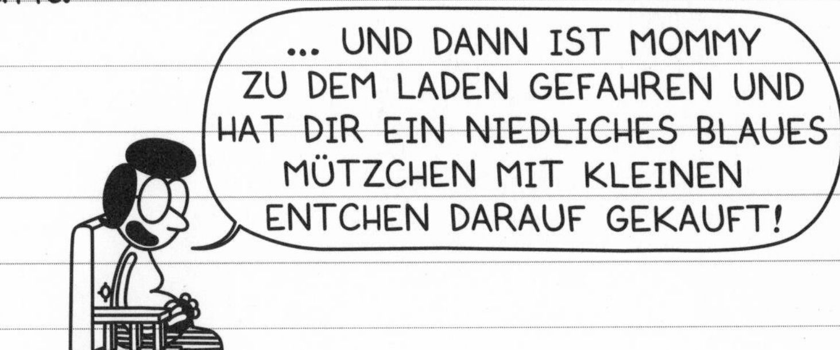

Und wenn Dad von der Arbeit nach Hause kam, sorgte Mom dafür, dass er mir auch noch SEINEN ganzen Tag erzählte.

Doch das war noch längst nicht alles. Jeden Abend las Mom mir eine halbe Stunde lang vor, ehe sie ins Bett ging.

Das Dumme war nur, dass mein Schlafrhythmus mit dem von Mom kein bisschen übereinstimmte. Wenn sie schlief, war ich hellwach.

Heute wünsche ich mir allerdings manchmal, ich hätte besser zugehört, als Mom mir vorlas.

Letzte Woche gab es einen unangekündigten Test über ein Buch, und ich hatte es noch nicht gelesen. Ich war mir ziemlich sicher, dass mir Mom vor meiner Geburt daraus vorgelesen hatte, aber mir fielen die Einzelheiten einfach nicht mehr ein.

Frage 42: Welche Bitte bringt Oliver Twist in Schwierigkeiten?

Ich schätze, dass ich in der Woche, in der mir Mom dieses Buch vorlas, mit etwas anderem beschäftigt war.

Das Bescheuerte ist, dass Mom das Mikrofon gar nicht BRAUCHTE; ich hörte sie auch so.

Ich meine, ich war in ihr DRIN, und ob ich wollte oder nicht, ich hörte jedes Wort, das sie sagte.

Ich konnte auch so gut wie ALLES verstehen, was draußen so vor sich ging. Wenn Mom und Dad zärtlich wurden, musste ich auch DAS über mich ergehen lassen.

Mir ist es schon immer ein bisschen peinlich gewesen, wenn Leute einander ihre Zuneigung in meiner Gegenwart zeigen, aber BESONDERS, wenn es sich dabei um meine Eltern handelt. Ich versuchte, sie zum Aufhören zu bewegen, aber sie kapierten meine Botschaft einfach nicht.

Egal, was ich probierte, es schien alles nur noch SCHLIMMER zu machen.

Nach ein paar Monaten hielt ich es nicht mehr aus. Ich musste einfach da raus, und das ist der Grund, weshalb ich drei Wochen zu früh auf die Welt kam. Aber als mich die kalte Luft umfing und die grellen Lampen des Kreißsaals mich blendeten, wünschte ich sofort, ich wäre geblieben, wo ich war.

Als ich auf die Welt kam, litt ich total unter Schlafmangel und hatte absolut miese Laune. Wenn ihr also das nächste Mal ein Bild von einem Neugeborenen seht, wisst ihr, wieso es so sauer guckt.

Den verlorenen Schlaf habe ich BIS HEUTE noch nicht nachgeholt, und dabei habe ich wirklich alles versucht, das könnt ihr mir glauben.

Seit meiner Geburt bin ich auf der Suche nach diesem wohligen Gefühl, das ich damals hatte, als ich im Dunkeln trieb und so glücklich war, wie man nur sein kann.

Aber wenn man sich mit vier anderen Menschen das Haus teilen muss, kommt immer irgendein Trottel rein und ruiniert einem alles.

Meinen großen Bruder Rodrick lernte ich ein paar Tage nach meiner Geburt kennen. Bis zu diesem Moment hatte ich gedacht, ich wäre ein Einzelkind, und ich war sehr enttäuscht, als sich das Gegenteil herausstellte.

Wir lebten damals in einer ziemlich engen Wohnung, und ich musste mir mit Rodrick ein Zimmer teilen. Ihm gehörte die Wiege, und deshalb musste ich in den ersten Monaten meines Lebens in der obersten Kommodenschublade schlafen. Ich bin mir ziemlich sicher, dass so etwas gesetzlich verboten ist.

Irgendwann räumte Dad seinen Kram aus dem Zimmer, das er als Büro benutzte, und es wurde zum zweiten Kinderzimmer umfunktioniert. Ich bekam Rodricks alte Wiege, und unsere Eltern kauften ihm ein Kinderbett. So gut wie ALLES, was ich damals besaß, hatte vorher Rodrick gehört.

Seine abgelegten Sachen waren entweder total abgenutzt oder total schmuddelig; meistens beides.

Selbst mein SCHNULLER war vorher Rodricks Schnuller gewesen. Ich glaube, er war damals noch nicht so weit, sich von seinem Schnuller zu trennen, und das könnte erklären, wieso er mich nie richtig leiden konnte.

Lange Zeit waren wir vier allein, bis Mom mir eines Tages erzählte, dass sie noch ein Baby bekommen würde. Ich war froh, dass sie mich eingeweiht hatte, denn so konnte ich gewisse Vorkehrungen treffen.

Als mein kleiner Bruder Manni zur Welt kam, fand ihn jeder unglaublich süß. Aber eines verheimlichen sie einem dabei. Nach ihrer Geburt haben Babys an ihrem Bauchnabel nämlich so einen schwarzen Stummel, an dem die Nabelschnur abgebunden wurde.

Dieser Stummel trocknet aus und fällt irgendwann ab, und das Baby hat dann einen ganz normalen Bauchnabel. Die Sache ist nur die: Mannis Nabelschnurstummel ist NIE gefunden worden. Und bis zum heutigen Tag habe ich Albträume, er könnte plötzlich irgendwo auftauchen.

Schon als Säugling setzte Mom mich jeden Tag eine Stunde vor den Fernseher, und ich musste mir Lernfilme ansehen.

Ich weiß nicht, ob diese Filme mich wirklich schlauer gemacht haben, aber immerhin war ich schlau genug herauszufinden, wie ich zu einer Sendung umschaltete, die ICH sehen wollte.

Ich bekam auch heraus, wie man die Batterien aus der Fernbedienung nimmt, damit niemand die Lernfilme wieder anmachen konnte.

Aber als Baby kommt man nicht viel herum, also hatte ich nur ein mögliches Versteck für die Batterien.

Ich glaube, Mom hätte mich öfter auf dem Fußboden krabbeln lassen sollen, als ich klein war, denn was die körperliche Entwicklung anging, war ich hinter den übrigen Kindern in meiner Spielgruppe WEIT zurück. Während sich die anderen schon alleine aufrichten und auf der Couch sitzen konnten, arbeitete ich noch immer daran, den Kopf vom Boden zu heben.

Eines Tages kaufte mir Mom dann diesen „Abenteuer-Baby-Action-Läufer“, das Erste, was ich bekam, ohne dass es vorher Rodrick gehört hatte.
Der Action-Läufer war ABSOLUT TOLL. Da war eine Menge Zeug dran, mit dem man spielen konnte, und sogar ein Becherhalter.

Doch das Beste war: Ich kam damit überallhin, ohne dass ich wirklich laufen musste.

Wenn ich meinen Abenteuer-Baby-Action-Läufer dabeihatte, kamen sich die anderen Kinder in der Spielgruppe alle wie Trottel vor.

Aber dann las Mom in irgend so einer Elternzeitschrift, dass Laufhilfen für Babys gar nicht gut wären, weil die Kleinkinder dann nicht die Muskeln entwickelten, die sie zum Laufen brauchten. Also brachte Mom das Ding zurück in den Laden, und ich stand wieder am Anfang.

Es dauerte ganz schön lange, aber schließlich lernte ich das Laufen doch noch. Und ehe ich michs versah, war ich im Kindergarten.

Ich hoffte, ich würde einen Vorsprung vor den anderen haben, weil Mom sich so viel Mühe mit der klassischen Musik und den Lern-DVDs gemacht hatte, aber die anderen Mütter mussten das Gleiche probiert haben, denn die Konkurrenz war ganz schön heftig. Da gab es Kinder, die schon mit Knöpfen und Reißverschlüssen umgehen konnten, während ich es kaum schaffte, mir die Handschuhe auszuziehen, ohne dass mir ein Erwachsener dabei half.

Ein paar von meinen Kindergartenkollegen konnten schon ihren Namen schreiben, und ein oder zwei konnten sogar bis fünfzig zählen.

Mir war klar, dass ich da nicht mithalten konnte, und so beschloss ich, die Entwicklung der anderen zu verlangsamen, indem ich ihnen gezielt Falschinformationen unterjubelte.

Mein Plan ging leider nach hinten los. Die Kindergärtnerin erzählte Mom nämlich, dass ich Formen und Farben nicht so gut lernte wie die anderen, doch Mom entgegnete, dass ich sehr klug sei. Das Problem könne vielmehr darin bestehen, dass ich nicht genügend GEFORDERT würde.

Deshalb ließ Mom mich den Kindergarten überspringen und schickte mich direkt in die Vorschule. Diese Entscheidung erwies sich jedoch als absolut katastrophal.

Die Kinder in der Vorschule kamen mir vor wie RIESEN, und sie konnten mit Scheren schneiden und Bilder ausmalen, ohne über die Linien zu malen.

Ich überstand nicht mal einen einzigen Tag in der Vorschule, dann musste die Lehrerin Mom anrufen, damit sie mich abholte.

Am nächsten Tag brachte Mom mich wieder in den Kindergarten und fragte die Erzieherin, ob ich meinen Platz wiederhaben könnte. Ich hoffe nur, dass die ganze Episode nicht aktenkundig ist, denn ich könnte es später echt schwer haben, einen guten Job zu finden, wenn jemand herausfindet, dass ich die Vorschule abgebrochen habe.

Montag

Ich bin mir ziemlich sicher, Mom glaubt, dass nichts, was sie bei mir probiert hat, als ich klein war, irgendetwas gebracht hat. Bei Manni macht sie nämlich alles ganz anders.

Zum Beispiel darf Manni sich im Fernsehen so gut wie alles ansehen, was er will. Deshalb lässt er rund um die Uhr diese Sendung laufen, „Die Schnörpel".

Ich habe ein paar Mal versucht, mir „Die Schnörpel" anzugucken, aber ich habe echt KEINE Ahnung, was das Ganze soll. Die Schnörpel haben ihre eigene Sprache, und ich glaube, die versteht man nur als Dreijähriger.

Seit Manni sich die Sendung anschaut, wird er wütend, wenn keiner von uns ihn versteht.

Aber neulich hat Mom in der Zeitung gelesen, dass Kinder, die „Die Schnörpel" gucken, in ihrer sprachlichen Entwicklung ungefähr ein Jahr zurückfallen, und ihr Sozialverhalten soll auch leiden.

Tja, das erklärt einiges. Manni hat nämlich überhaupt keine echten Freunde, und wenn Mom bei uns zu Hause eine Spielgruppe veranstaltet, ist Manni der Einzige, der nichts mit den anderen Kindern zu tun haben möchte.

Ich glaube, zum Teil liegt es daran, dass Manni sein Spielzeug nicht gern mit anderen teilt. Wenn fremde Kinder uns besuchen, schließt Manni sich in den alten Zwinger unseres Hundes Sweetie ein, die wir früher hatten, und hortet sein Spielzeug dort.

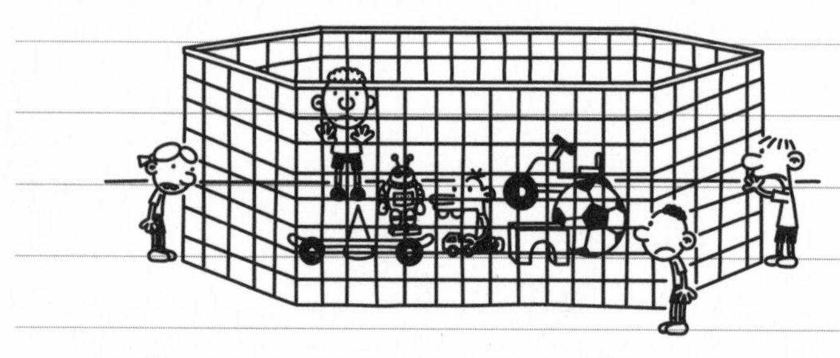

Und jedes Mal, wenn Mom versucht, Manni dazu zu bringen, ALLEIN mit anderen Kindern zu spielen, geht der Schuss nach hinten los.

In unserer Kirche haben sie jetzt eine neue Masche und schicken während des Gottesdienstes die kleinen Kinder alle in den Keller, wo sie spielen und malen dürfen. Aber als Mom Manni zum ersten Mal dort hinunterbrachte, war nur ein weiterer Junge in dem Spielkeller, und der erzählte Manni, er wäre ein Vampir.

Mir tat Manni ein bisschen leid, denn als ich in seinem Alter war, hatte ich ebenfalls mit einem Furcht einflößenden Jungen zu tun. Im Kindergarten saß ich mit einem Typ namens Bradley fest, der mich bei jeder Gelegenheit erschreckte.

Jeden Tag, wenn ich nach Hause kam, erzählte ich Mom von Bradley und sagte, dass ich nicht mehr in den Kindergarten wollte. Aber im selben Sommer zog Bradleys Familie weg, und das Problem löste sich von selbst. Nachdem Bradley weg war, schrieb Mom eine Geschichte mit dem Titel „Böser Bradley". Sie handelte von einem Jungen, der sich immer danebenbenimmt. Im wahren Leben war Bradley ein unangenehmer Zeitgenosse, aber in Moms Geschichte war er der Teufel in Menschengestalt.

Ich glaube, Mom wollte ihre Geschichte sogar veröffentlichen, doch dann zog im nächsten Frühjahr Bradleys Familie zurück in unsere Gegend, und sie musste ihre Pläne aufgeben.

Obwohl Mom also „Böser Bradley" nie veröffentlichen konnte, benutzte sie das Buch, um Manni beizubringen, wie er sich im Kindergarten benehmen sollte. Ich befürchte, das ist einer der Gründe, weshalb Manni vor anderen Kindern in seinem Alter solche Angst hat.

Manni hat vielleicht keine ECHTEN, aber einen ganzen Haufen ERFUNDENER Freunde. Ich habe völlig den Überblick verloren, wie viele es sind, aber ich erinnere mich an etliche Namen, an Joey, Petey, Danny, Charles Tribble, Den Anderen Charles Tribble, Klein-Jim und Johnny Cheddar.

Ich weiß nicht, wie Manni auf so viele eingebildete Freunde kommt, aber ihr könnt mir glauben, für ihn sind sie ECHT! Einmal nahm Manni all seine Fantasie-Freunde mit zum Supermarkt und ist total ausgerastet, weil Mom angeblich Charles Tribble im Kühlregal vergessen hatte.

Manchmal frage ich mich, ob Manni seine Freunde nur deshalb erfunden hat, um mehr Nachtisch zu bekommen als Rodrick und ich.

Mom meint, wir dürfen Manni nicht sagen, dass seine Freunde nicht echt sind, weil er sonst „traumatisiert" werden könnte. Also müssen wir den Mund halten und mitmachen.

Ich hoffe trotzdem, dass er bald zu groß für so was ist, denn es wird immer absurder. Manchmal muss ich warten, bis sämtliche Fantasie-Freunde von Manni die Toilette benutzt haben, ehe ich ins Bad darf.

In letzter Zeit schiebt Manni alles, was er vermasselt, auf seine erfundenen Freunde. Neulich hat er einen Teller zerbrochen, erzählte Mom aber, Johnny Cheddar wär es gewesen. Der ist offenbar das schwarze Schaf der Gruppe.

Statt Manni dafür zu bestrafen, dass er erst einen Teller zerbrochen und dann auch noch gelogen hatte, musste Johnny Cheddar eine Weile still sitzen. Was mir dabei stinkt: Der Stillsitzstuhl ist unser funkelnagelneuer Fernsehsessel im Wohnzimmer, und wenn Johnny Cheddar dort still sitzt, kann ich mich nicht reinfläzen und fernsehen.

Wie gesagt weiß ich, dass diese ganze Sache mit den erfundenen Freunden ein Haufen Schwachsinn ist, aber Manni nimmt sie so ernst, dass es einen schon fast gruselt. Wenn ich mich irgendwo im Haus hinsetze, achte ich deshalb darauf, dass keiner von Mannis Freunden in der Nähe ist.

Auf keinen Fall will ich mich aufs Sofa hauen, um fernzusehen, und dabei versehentlich Klein-Jim plattquetschen.

Außerdem sehe ich in letzter Zeit sowieso nicht mehr viel fern. Mom macht sich Sorgen um Manni und sein Sozialverhalten und will auf einmal nicht mehr, dass der Fernseher läuft, solange Manni dabei ist.

Vor Kurzem kam Mom mit einer Idee an, die sie „Familienabend“ nannte. Wir sollen dann ein Brettspiel spielen oder zusammen essen gehen, statt fernzusehen.

Ich schätze, wir sollen auf diese Weise mehr miteinander reden und so weiter, damit es auf Manni abfärbt. Wenn wir essen gehen, sind wir normalerweise in einem familienfreundlichen Gasthaus, das „Zum Landei" heißt. Im Landei herrscht striktes Schlips-Verbot, und als wir zum ersten Mal dort hingingen, musste Dad das auf die harte Tour erfahren.

Im Landei gibt es mehrere Tischbereiche, aber weil wir immer Manni dabeihaben, setzen sie uns jedes Mal ins „Kinderland".

Mein Eindruck ist, dass sie im Kinderland gar nicht erst sauber machen, nachdem die eine Familie gegangen ist und bevor die nächste eintrifft. Wenn man an seinen Tisch kommt, sind immer zerknüllte Servietten auf dem Boden, und auf den Sitzen liegen nasse Pommes frites.

Als wir das erste Mal im Landei aßen, habe ich vorher nicht auf meinen Sitz geguckt, und schon saß ich auf einem angebissenen Sandwich mit Erdnussbutter und Gelee.

Und noch was kann ich am Kinderland nicht leiden: Man sitzt direkt bei den Toiletten, und die Türen sind Schwingtüren. Deshalb kann man reinsehen, während man versucht zu essen.

Außerdem ist die Bedienung im Landei furchtbar. Wir nehmen deshalb immer das Büfett und holen uns das Essen selbst. Die Speisen sind in diesen Warmhaltebehältern aus Stahl, und ständig schwimmt in dem einen irgendetwas aus einem anderen Gericht herum.

An der Nachtischtheke gibt es einen Softeisspender, an dem sich jeder seinen eigenen Becher zusammenstellen kann. Ich weiß, das klingt toll, aber es gibt einen guten Grund, weshalb in den meisten Restaurants die Softeisautomaten nicht von den Gästen bedient werden dürfen.

Mom mag das Landei, weil es dort ein Bällebad gibt und sie hofft, dass Manni dort lernt, mit anderen Kindern in seinem Alter zu spielen.

Aber Manni vergräbt sich meistens nur unter einem Berg aus Bällen. Dort versteckt er sich vor den anderen Kindern und wartet ab, bis wir nach Hause fahren.

Letzten Donnerstag waren wir wieder im Landei, und Mom überredete Manni, in die Plastikrohre zu klettern. Er sollte sich diesmal nicht unter den Bällen verstecken. Manni hat da oben drin aber tierische Angst bekommen und konnte vor lauter Panik nicht mehr allein heraus.

Mom sagte, ICH müsste ihn rausholen, weil ich als Einziger von uns klein genug bin, um durch die Rohre kriechen zu können.
Ich versuchte da hochzuklettern, wo auch Manni in die Rohre gelangt war, aber an der Stelle war es für mich schon zu eng, und ich musste wieder zurückkriechen.

Deshalb blieb mir nur der Weg über die Plastik-Spiral-rutschbahn, die in der Ballgrube endet. Ich bin sowieso kein Freund dunkler beengter Räume, und mir gefiel der Gedanke, in dem Ding hochzuklettern, ganz und gar nicht.

Ich rief von unten hinein, dass ich hochklettern würde, damit mir niemand entgegenkam, aber die Kleinen beachteten mich überhaupt nicht und rutschten trotzdem weiter runter.

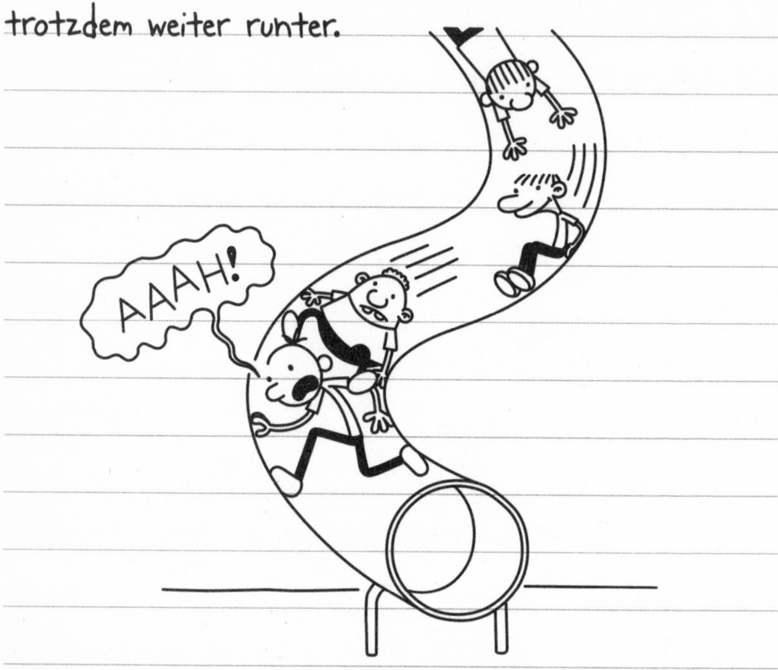

Sobald ich am Gegenverkehr vorbei war und nach oben kam, kroch ich in das Röhrenlabyrinth und fing an, Manni zu suchen. Die Rohre waren natürlich nicht belüftet, und es stank darin ekelhaft nach dreckigen Socken.

Mir war klar, dass ich mich eigentlich schlecht dafür eignete, Manni zu suchen, denn in Labyrinthen verirre ich mich immer hoffnungslos. Im Herbst waren Mom und ich im Maislabyrinth auf der Reynolds-Farm, und Mom hatte sich darauf verlassen, dass ich hinausfand. Aber ich habe mich dermaßen verfranzt, dass Mom die Feuerwehr rufen musste, damit uns jemand rettet.

Diesmal hatte ich nicht mal Moms Handy dabei, um jemanden zu rufen, der mich herausholte. Und als dann auch noch ein Kind an einem Ende des Tunnels brechen musste, stürmten mir die ganzen anderen Kinder entgegen. Sie wollten so schnell wie möglich zur Rutsche.

Ich fand Manni schließlich in einem der Rohre, aber da war ich selbst schon mit den Nerven am Ende. Deshalb musste ein Kellner hochklettern und nicht nur Manni, sondern auch mich retten.

Das Schlimmste an dem ganzen Erlebnis war, dass ich meine Lieblingsjeans danach wegwerfen konnte, weil der Sockenmief einfach nicht mehr herausging. Selbst drei Waschgänge mit Bleichlauge hintereinander nutzten nichts.

Samstag

Heute Morgen bin ich um halb sieben aufgewacht und konnte nicht wieder einschlafen, was ich ziemlich ärgerlich fand. Aber so geht es mir schon seit Beginn des neuen Jahres.

An Silvester wollte Mom, dass Manni erlebt, wie es ist, bis Mitternacht aufzubleiben, ohne dass sie ihn wirklich so lange aufbleiben ließ. Deshalb stellte sie einfach alle Uhren im Haus um drei Stunden vor.

Aber sie sagte auch MIR nichts davon. Als Mom und Dad mit Manni die letzten Sekunden des alten Jahres herunterzählten, dachte ich, es wäre WIRKLICH schon Mitternacht.

An dem Abend bin ich daher schon um halb elf ins Bett gegangen, während ich dachte, wir hätten halb zwei. Deshalb ist mein gesamter Rhythmus in diesem Jahr um drei Stunden verschoben.

Denn am Wochenende wache ich normalerweise nicht auf, bis Dad mich aus dem Bett zerrt, und schon GAR NICHT im Winter, wenn es draußen eiskalt und unter der Bettdecke mollig warm ist.

Ich weiß noch, wie Dad mich letzten Winter einmal um acht Uhr morgens weckte und mir befahl, nach draußen zu gehen und den Schnee vom Gehweg zu schaufeln.

Ich war mitten in einem richtig guten Traum gewesen, aber ich schaffte es, aufzustehen, den Bürgersteig freizuschaufeln und anschließend wieder zu meinem Traum ins Bett zu kriechen, ohne etwas zu verpassen.

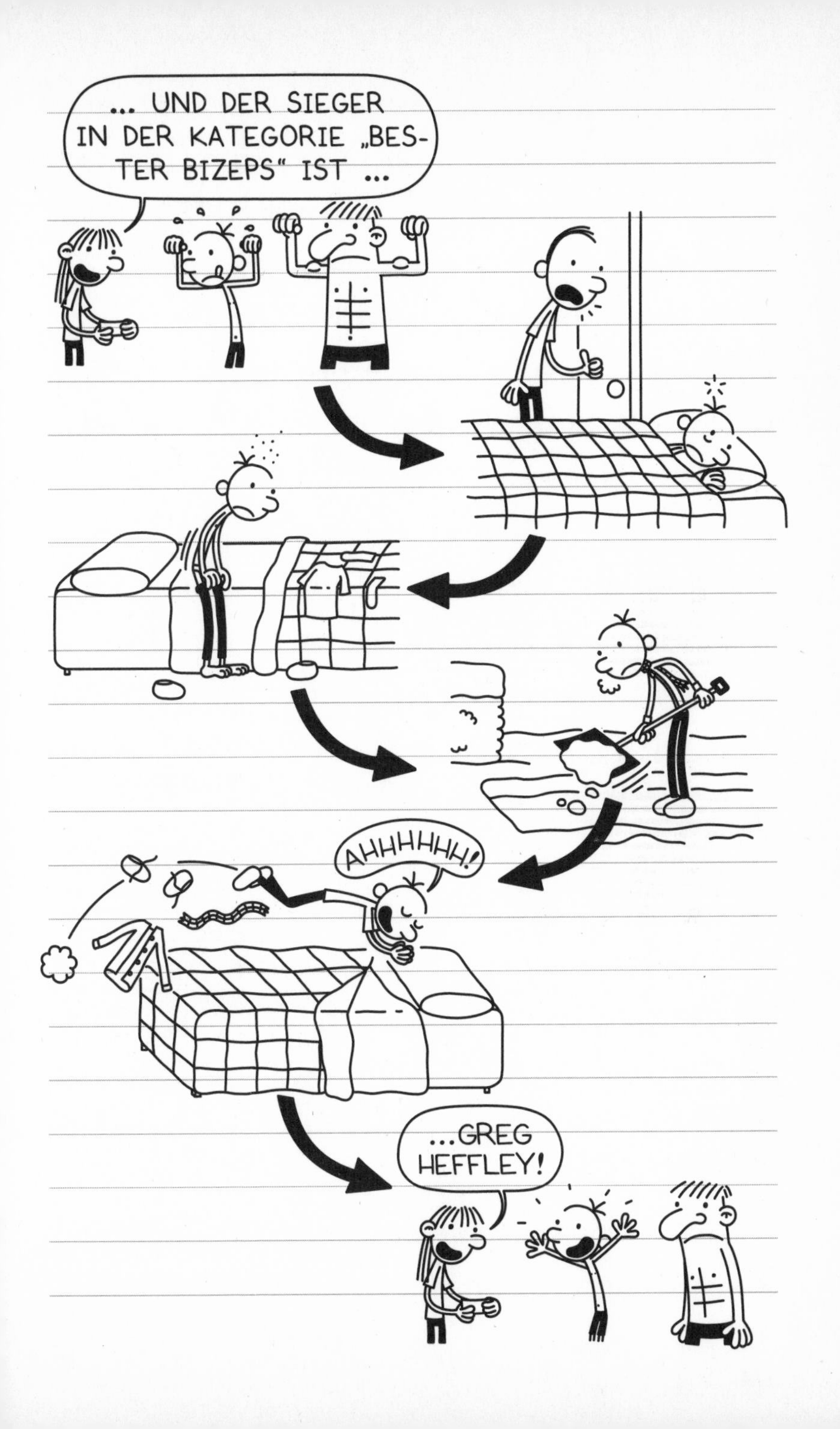
... UND DER SIEGER IN DER KATEGORIE „BESTER BIZEPS“ IST ...
AHHHHHH!
...GREG HEFFLEY!

Heute Morgen lag ich nach dem Aufwachen eine ganze Weile da und versuchte wieder einzuschlafen. Schließlich bin ich nach unten gegangen und habe mir Frühstück gemacht. Vor acht Uhr kommt samstagmorgens nie etwas Gutes im Fernsehen, also beschloss ich, schon einmal meine Hausarbeiten zu erledigen.

Rodrick und ich haben nie genug Geld für irgendetwas. Mom zahlt uns ein Taschengeld, aber dafür müssen wir im Haushalt mithelfen. Zu meinen Aufgaben gehört es, die Möbel im Esszimmer abzustauben, und genau das machte ich heute Morgen, da klopfte es auf einmal an der Haustür.

Als ich die Tür öffnete, stand zu meiner Überraschung Onkel Gary vor mir.

Gleich darauf kam Dad die Treppe herunter, und er wirkte nicht sonderlich erfreut, seinen jüngeren Bruder zu sehen.

Vor ein paar Wochen hatte Onkel Gary Dad angerufen und behauptet, er hätte eine „einmalige" Gelegenheit für ein Geschäft, und er bräuchte unbedingt ein Darlehen.

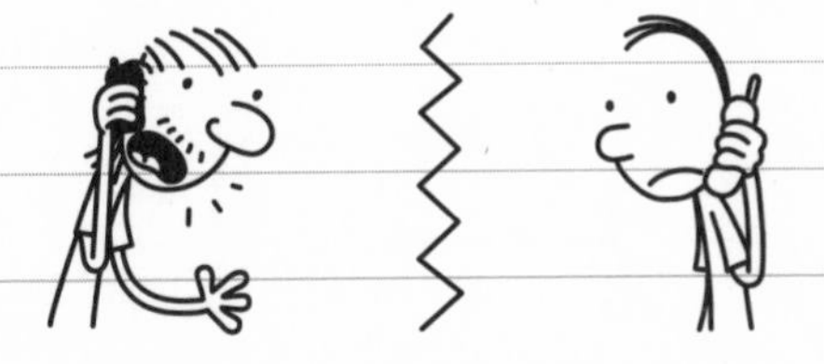

Dad wollte Onkel Gary keinen Cent geben, denn Onkel Gary genießt nicht gerade einen guten Ruf, wenn es darum geht, Geld zurückzuzahlen.

Aber Mom sagte Dad, er sollte es tun, weil Onkel Gary sein Bruder ist und man sich in einer Familie immer gegenseitig hilft. Rodrick und mir sagt Mom andauernd das Gleiche. Ich hoffe nur, dass ich nie eine Niere brauche oder so was, denn wenn ich dafür auf Rodrick zählen muss, sitze ich höchstwahrscheinlich tief in der Patsche.

Dad schickte Onkel Gary das Geld, und bis heute hatten wir nichts mehr von ihm gehört. Als Onkel Gary nun das Haus betrat, erzählte er uns, was geschehen war.

Er sagte, er hätte in Boston einen Mann kennengelernt, der an einer Straßenecke T-Shirts verkaufte, und dieser Mann hatte ihm gesagt, wenn Onkel Gary sein Geschäft übernehmen würde, wäre er im Nu stinkreich.

Nachdem Onkel Gary das Geld von Dad bekommen hatte, kaufte er dem Mann die T-Shirts ab. Onkel Gary wusste nur leider nicht, dass die T-Shirts alle fehlerhaft bedruckt waren, und als er es endlich bemerkte, war der Mann bereits spurlos verschwunden.

Onkel Gary erklärte Dad, er bräuchte einen Platz zum Schlafen, bis er wieder etwas auf die Beine gestellt hat. Dad schien darüber nicht besonders erfreut zu sein, aber mittlerweile war auch Mom nach unten gekommen, und sie sagte Onkel Gary, dass er so lange bleiben könnte, wie er wollte.

Doch als Mom den Umzugswagen in der Einfahrt entdeckte, sagte sie, dass wir in unserem Haus leider keinen Platz für zusätzliche Möbel hätten.
Gary meinte, das wäre kein Problem, er BESÄSSE überhaupt keine Möbel. Der Umzugswagen war mit Kartons voller T-Shirts bepackt, und wir verbrachten den restlichen Morgen damit, sie in unsere Garage zu räumen.

Ich habe nicht den Eindruck, dass Onkel Gary den Plan, sie zu verkaufen, schon aufgegeben hat. Eins hat er schon für drei Dollar an Rodrick verscherbelt, und wie es aussieht, glaubt Rodrick, er hätte das Geschäft seines Lebens gemacht.

Montag

Mit Onkel Gary zusammenzuwohnen war nicht einfach für uns. Die ersten Nächte verbrachte er auf einer Luftmatratze in Mannis Zimmer. Aber Onkel Gary hat Albträume, die ihn nachts aus dem Schlaf reißen, und vergangenen Montag war es besonders schlimm.

Jetzt schläft Onkel Gary auf der Couch im Wohnzimmer, und Mannis Bett steht mitten im Zimmer, so weit weg von allen Wänden wie möglich.

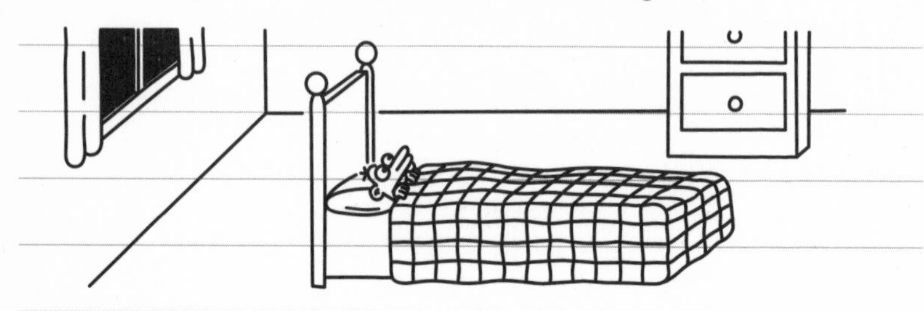

Dass Onkel Gary auf unserer Couch schläft, ist echt unpraktisch. Seine schlechten Träume halten ihn die ganze Nacht wach, und dann verschläft er fast den kompletten Tag. Das stinkt echt zum Himmel, wenn man nach der Schule einfach nur abhängen und ein bisschen fernsehen will.

RODRICK ist allerdings derjenige, der am meisten unter Onkel Garys Anwesenheit zu leiden hat.

Ehe Onkel Gary einzog, hat Rodrick praktisch auf der Wohnzimmercouch GELEBT, vor allem am Wochenende.
Jetzt gibt es für Rodrick kein ruhiges Plätzchen mehr, an das er sich zurückziehen kann, sobald Dad ihn samstagmorgens aus dem Bett gezerrt hat.

Neulich kam Rodrick hoch, und als er Onkel Gary auf seinem Platz sah, schlief er einfach auf einer anderen Stelle der Couch weiter.

Dad liegt Onkel Gary ständig damit in den Ohren, er soll sich einen Job suchen, aber Onkel Gary sagt, er hat es probiert, und niemand stellt Leute ein. Onkel Gary hat noch nie eine Arbeit länger als ein paar Tage gehabt. Der letzte Job war im Sommer, da arbeitete er als Tester für eine Firma, die Pfefferspray herstellt. Ich bin mir ziemlich sicher, dass er noch vor der Mittagspause gekündigt hat.

Dad möchte, dass Onkel Gary sich einen Job sucht, wie er selbst einen hat, bei dem man in einem Büro sitzt und feste Arbeitszeiten hat.

Ich glaube aber nicht, dass Onkel Gary für einen Bürojob geschaffen ist, und ich vermute, für mich gilt das Gleiche. Dad muss jeden Tag in Anzug und Krawatte zur Arbeit gehen und außerdem feine Schuhe und Kniestrümpfe tragen.

Ich habe bereits beschlossen, dass ich mir, wenn ich erwachsen bin, einen Job suche, bei dem ich keine Socken tragen muss, die bis zu den Knien reichen.

Letzten Sommer hat Dad mich am „Kindertag der offenen Tür" mit ins Büro genommen. Die Leute in der Firma wussten aber wahrscheinlich, dass ihre Arbeit ihre Kinder nur langweilen würde, deshalb hatten sie für jede mögliche Unterhaltung gesorgt.

Fast den ganzen Tag lang blieben wir Kinder in der Kantine, während die Erwachsenen an ihren Schreibtischen saßen und ihre Arbeit machten.

Gegen Abend holte mich Dad in sein Büro und sagte, er müsse noch rasch ein wichtiges Projekt abschließen, und ich setzte mich neben ihn und sah zu. Ich glaube aber, es fiel ihm schwer, sich zu konzentrieren, während ihm jemand über die Schulter blickte.

Dad gab mir Geld, damit ich mir etwas am Automaten kaufen konnte. Wahrscheinlich wollte er mich nur eine Weile loswerden, denn als ich schon eine Minute später mit einer großen Packung Wunderkugel-Kaugummis zurückkam, sah er nicht gerade glücklich aus.

Dad sagte, dass er zu Ende bringen müsste, was immer er da machte, und bat mich daher, mich in einen anderen Raum zu setzen, bis er fertig wäre. Er war an diesem Tag wohl etwas geistesabwesend, denn er fuhr tatsächlich ohne mich nach Hause. Ich hätte womöglich die ganze Nacht dort festgesessen, wenn der Hausmeister nicht zufällig auf mich gestoßen wäre.

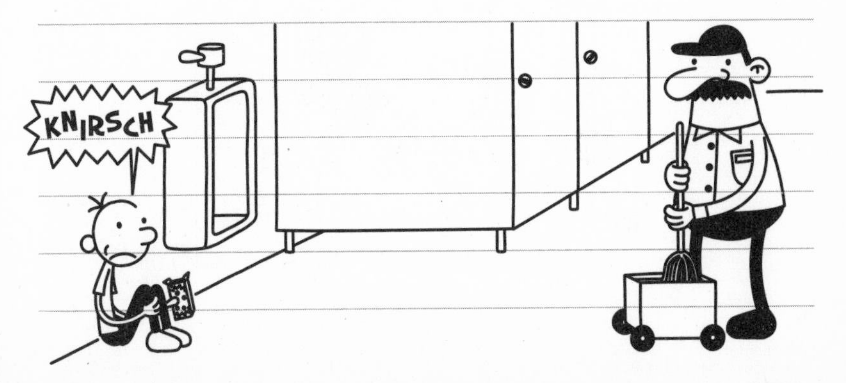

Aber egal, Dad ist jedenfalls ziemlich sauer, dass Onkel Gary überhaupt kein Geld hat und ihm auf der Tasche liegt. Mom hat sogar angefangen, Onkel Gary Taschengeld zu zahlen, und dass er dafür im Haushalt keinen Finger rühren muss, finde ich nicht richtig.

Ich hoffe nur, dass sich Onkel Gary von seinem Taschengeld mal ein eigenes Schaumbad kauft. Am zweiten Tag nach seinem Einzug hat er meine ganze Flasche aufgebraucht, und ein Vollbad in kristallklarem Wasser ist einfach nicht das Gleiche.

Dienstag

Ich wünschte wirklich, ich hätte meine Jeans vor ein paar Wochen nicht wegwerfen müssen, denn in der Schule kam es heute auf gutes Aussehen an. Im Sportunterricht lernen wir jetzt Gesellschaftstanz, und Mrs Moretta erklärte, jeder von uns müsse sich einen Partner suchen. Darum war es wirklich der falsche Tag, um in einer Cordhose mit zehn Zentimetern Hochwasser aufzukreuzen.

Mrs Moretta sagte, wir sollten unsere Partner auswählen, indem wir den Namen der Person, mit der wir tanzen wollten, auf einen Zettel schreiben. Sie würde dann die Zettel durchgehen und uns so zu Paaren zusammenstellen, dass unsere Wünsche weitestgehend berücksichtigt würden. Die gleiche Masche hat sie schon LETZTES Jahr beim Squaredance angewendet, und dabei bin ich total auf die Schnauze gefallen.

Ich hatte den Namen des hübschesten Mädchens der Klasse aufgeschrieben, Baylee Anthony.

Aber sie schrieb nicht MEINEN Namen auf. Sie wollte Bryce Anderson haben, genau wie jedes andere Mädchen der Klasse auch. Bryce entschied sich schließlich für McKenzie Pollard, und Mrs Moretta machte mich und Baylee zu Tanzpartnern, weil ich sie ausgesucht hatte.

Zuerst war ich total froh, dass ich Baylee zur Tanzpartnerin hatte. Aber dann musste ich mich drei Wochen lang mit diesem Blödsinn herumschlagen:

Baylee wollte wohl nicht, dass sich die Geschichte vom letzten Jahr wiederholte, denn sie ging zu allen Jungen, die keine Chance bei ihr hatten, und ließ es sie wissen.

Wenn ich ehrlich bin, ist es mir ziemlich egal, welche Tanzpartnerin ich bekomme, solange es nur nicht Ruby Bird ist.

RUBY BIRD

Soweit ich weiß, ist Ruby das einzige Mädchen an der Schule, das je vom Unterricht ausgeschlossen wurde, und zwar, weil sie einen Lehrer gebissen hat.

Dass Ruby nur einen Vorderzahn hat, kommt daher, dass der andere in Mr Underwoods Ellenbogen stecken geblieben ist.

Ich versuche immer schön nett zu Ruby zu sein, wenn ich ihr im Flur begegne, denn sie jagt mir echt Angst ein.

Aber heute kam mir plötzlich der Gedanke, ich könnte vielleicht ZU nett zu ihr gewesen sein, und sie könnte am Ende glauben, ich würde sie MÖGEN.
Ich möchte auf keinen Fall, dass Ruby meinen Namen auf den Zettel schreibt, denn wenn sie meine Tanzpartnerin wird, tue ich garantiert IRGENDWAS, das sie sauer macht, und dann steckt ihr anderer Vorderzahn in MEINEM Arm.
Deshalb benutzte ich meinen Zettel, um dafür zu sorgen, dass es so weit nicht kommen würde.

Bitte tun Sie mich nicht mit Ruby Bird zusammen.
Hochachtungsvoll, Greg Heffley

Damit Mrs Moretta mir meinen Wunsch auch wirklich erfüllte, legte ich noch den halben Schokoriegel dazu, den ich eigentlich für später aufheben wollte.

Mittwoch

Gestern Abend habe ich extra lange dafür gebetet, dass ich nicht Ruby zur Tanzpartnerin bekomme.

Auf einmal begann ich mir jedoch Sorgen zu machen, dass die Anzahl der Gebete, die im Leben erhört werden, vielleicht begrenzt ist und ich womöglich schon an mein Limit komme. Mir würde es gar nicht gefallen, später herauszufinden, dass ich durch mein unbedachtes Gerede wirklich wichtige Wünsche vertan habe. Ich muss da wohl ein bisschen vorsichtiger werden. Am Wochenende war die Toilette im oberen Bad verstopft, und ich betete dafür, dass der Klempner nicht das Klo benutzte, nachdem er es repariert hatte.

Übrigens habe ich bei meinen Gebeten eine ungefähr 75%ige Erfolgschance. Ich weiß nicht, ob das gut oder schlecht ist, aber ich bin mir mittlerweile ziemlich sicher, dass ich, egal wie sehr ich es mir auch wünsche, zum Geburtstag niemals ein Lichtschwert bekommen werde.

Außerdem muss ich bei den Gebeten wohl erheblich konkreter sagen, was ich eigentlich will, denn in Sport wurde mir heute zwar mein Wunsch erfüllt, aber ich bin nicht besonders glücklich mit dem Drumherum.

Am Anfang der Stunde rief Mrs Moretta die Namen der Tanzpartner auf, und ich hielt den Atem an, als sie zu Ruby Bird kam.

Aber Ruby wurde zum Glück mit Fregley zusammengetan, und wenn ihr mich fragt, sind die beiden ein Traumpaar.

Schließlich las Mrs Moretta den letzten Mädchennamen vor, aber es blieben noch ein paar Jungs übrig, darunter auch ich. In diesem Jahr gibt es nämlich mehr Jungen als Mädchen in der Klasse, deshalb lag es nahe, dass nicht jeder eine Partnerin abbekommen würde.

Trotzdem war ich enttäuscht, dass keine Einzige meinen Namen auf den kleinen Zettel geschrieben hatte.

Dann wurde uns klar, dass wir gar nicht am Gesellschaftstanz teilnehmen würden, sondern drei Wochen lang am anderen Ende der Turnhalle Kickball spielen durften.

Aber wir hatten uns ein bisschen zu früh gefreut. Mrs Moretta sagte, JEDER müsse tanzen, und daher tat sie einfach jeweils zwei JUNGEN zu einem Paar zusammen. Und ehe ich michs versah, tanzte ich Walzer mit Carlos Escalera.

Montag

Heute ist der Sportunterricht ausgefallen, weil wir in der vierten Stunde alle in die Aula gerufen wurden.
Ich muss zugeben, dass ich ein wenig enttäuscht war, als ich davon erfuhr, denn ob ihr es glaubt oder nicht, Carlos und ich haben beim Merengue so langsam den Bogen raus.

Die meisten waren allerdings ziemlich aufgeregt, weil es seit November keine Veranstaltung mehr in der Aula gegeben hatte. Damals kam dieser Hypnotiseur an unsere Schule – der Unglaubliche Andrew.
Im großen Finale seiner Vorstellung hypnotisierte der Unglaubliche Andrew vier Achtklässler, sodass sie glaubten, ihre Arme wären mit Sekundenkleber zusammengeklebt.

Dann sagte er ihnen, dass er den Kleber mit einem Zauberwort lösen könnte, und erst als er es aussprach, konnten sie sich wieder voneinander trennen.

Nach der Schule stritten wir uns, ob die Hypnose echt gewesen war oder die Achtklässler mit dem Unglaublichen Andrew unter einer Decke steckten und nur so getan hatten, als klebten sie zusammen.

Zwei Jungen, die den Unglaublichen Andrew für einen Schwindler hielten, hakten die Arme ineinander, und dann versuchte Martin Ford, sie zu hypnotisieren, sodass sie dachten, sie wären mit Sekundenkleber verbunden.

Ob ihr's glaubt oder nicht, aber es hat FUNKTIONIERT. Die beiden bekamen die Arme nicht mehr auseinander und gerieten total in Panik. Martin versuchte es mit dem Zauberwort, aber er schaffte es nicht, sie zu trennen.

Die Jungen gingen zurück in die Schule, und ein Lehrer musste herausfinden, wo der Unglaubliche Andrew arbeitete, wenn er nicht gerade auftrat, damit er das Zauberwort sagen und die beiden voneinander trennen konnte.

Ich habe keine Ahnung, nach welchen Kriterien die Leute ausgesucht werden, die bei unseren Schulveranstaltungen auftreten. Letztes Jahr kam so ein Typ, der sich Muskel-Max nannte. Er hielt einen Vortrag darüber, dass wir Nein zu Drogen sagen sollten, und als großen Abschluss riss er mit bloßen Händen ein Telefonbuch mittendurch.

RRRRAATSCH

Fragt mich nicht, was das Zerreißen eines Telefonbuchs damit zu tun hat, Nein zu Drogen zu sagen, aber alle in der Schule fuhren voll auf den Kerl ab. Nach dem Besuch von Muskel-Max musste die Bibliothek ungefähr die Hälfte der Nachschlagewerke in den Regalen neu anschaffen.

Jemand, bei dem ich hoffe, dass sie sie NIEMALS wieder engagieren, ist eine Sängerin namens Krisstina. Ich glaube aber, die Schule lässt Krisstina sehr gern in der Aula auftreten, weil ihre Liedtexte total positiv sind.

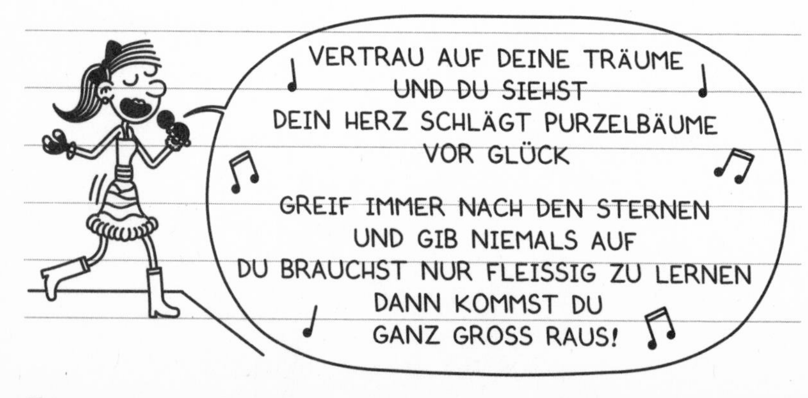

Krisstina bezeichnet sich selbst als „Internationale Pop-Sensation“, aber ich kapiere einfach nicht, wieso ihr das überhaupt irgendjemand abnimmt. Soweit ich weiß, hat sie nämlich noch nicht einmal unseren Bundesstaat je verlassen.

Krisstina
WELTTOURNEE
Shop-Markt Superstore
Einkaufszentrum Middletown
Roll-a-Round Rollschuhbahn
Stadtpark-Pavillon
Autocenter Rickman
Bowlingbahn Route 1A
Hochglanz Autowaschstraße

Eine meiner Lieblingsschulveranstaltungen war der Besuch eines Polizeibeamten, der uns erklärte, er sei Drogenfahnder. Sein Job sei es, sich als Highschool-Schüler auszugeben und die Jugendlichen zu melden, die sich etwas zuschulden kommen lassen.

Für mich klang das nach einem ERSTKLASSIGEN Job. Wenn man mich dafür bezahlt, dass ich zur Schule gehe, ohne dass ich Hausaufgaben machen oder Klassenarbeiten mitschreiben muss, UND nebenbei auch noch die ganzen Blödmänner in den Knast bringen kann, dann bin ich wie geschaffen dafür.

Nachdem der Polizist an unserer Schule war, beschlossen mein Freund Rupert und ich, unsere eigene Detektivagentur zu eröffnen.

Leider gibt es in unserer Gegend keinen großen Bedarf an Privatdetektiven, und wir bekamen von niemandem einen Auftrag. Wir beschlossen, TROTZDEM mit unserer Überwachungsarbeit zu beginnen.

Und wir hatten großen Spaß. Privatdetektiv zu sein ist echt TOLL. Denn für einen Privatdetektiv gehört es einfach zur täglichen Arbeit, im Leben anderer Menschen herumzuschnüffeln.

Unsere Ermittlungen konzentrierten sich bald auf Mr Millis, der einige Häuser weiter wohnt. Nicht dass er irgendetwas Verdächtiges getan hätte; wir hatten nur gehört, dass er sämtliche Filmkanäle im Kabelfernsehen abonniert hatte.

Die Detektivagentur scheiterte jedoch schließlich am Fall Scotty Douglas. Ich hatte ihm über den Sommer ein Videospiel geliehen, und er behauptete, er hätte es nicht mehr, aber ich wusste, dass er log. Daher schickte ich Rupert zu Scotty vor, um ihn weichzukochen.

Ich brachte Rupert bei, wie man den Harten markiert, und erklärte ihm, er sollte oft mit den Fingerknöcheln knacken, damit Scotty gleich kapierte, dass mit uns nicht zu spaßen war.

Doch als Rupert einfach nicht wieder auftauchte, begann ich mich zu fragen, ob irgendetwas passiert war. Ich ging zu Scotty, um selbst nachzusehen, und ertappte Rupert auf frischer Tat, wie er mit Scotty mein Videospiel zockte.

Ich sah mich daher gezwungen, Rupert fristlos zu entlassen, und wenn ich jemals eine neue Detektivagentur gründe, werde ich zuallererst einen Schuldeneintreiber anstellen, der ein bisschen einschüchternder ist.
Jedenfalls war, wie schon gesagt, jeder gespannt, wer heute als Gast zu uns in die Aula kommen würde.

Doch wie sich herausstellte, kam NIEMAND.
Konrektor Roy betrat die Bühne und sagte, er hätte die Versammlung einberufen, um bekannt zu geben, dass es eine Sonderwahl geben würde, um die Schülervertretung auszutauschen.
Die Schülervertretung hatten wir erst im Herbst gewählt, aber die Schülervertreter gingen nicht zu den Sitzungen, weil die immer in den Pausen stattfanden, und ich glaube, den Lehrervertretern stank das gewaltig.

Konrektor Roy sagte, man könne nur unter zwei Voraussetzungen für ein Amt kandidieren. Erstens müsse man bereit sein, an allen Sitzungen teilzunehmen, an denen die Schülervertretung beteiligt war. Und zweitens dürfe man nicht mehr als zweimal einen Verweis erhalten haben.

Mir kam es vor, als richtete sich die zweite Bedingung direkt gegen MICH, denn ich hatte gerade erst meinen dritten Verweis kassiert.

In meinem ersten Jahr an der Junior Highschool hatte mir ein Achtklässler weisgemacht, es gäbe einen geheimen Aufzug in den zweiten Stock, und für fünf Dollar könnte er mir eine Sonderbescheinigung verkaufen.

Für MICH klang das nach einem guten Geschäft, und ich gab ihm die fünf Dollar für den Ausweis, der ziemlich offiziell aussah.

Aufzug-Berechtigung

Der Inhaber dieser Bescheinigung ist ohne Einschränkungen zur Benutzung des Aufzugs der Schule berechtigt.

Aber es stellte sich heraus, dass das Ganze ein Schwindel war und es in der Schule überhaupt keinen geheimen Aufzug gab.

Die Bescheinigung habe ich trotzdem behalten. Allerdings habe ich sie vor einigen Wochen einem Jungen verkauft, der neu an der Schule war.
Leider war ich dabei nicht vorsichtig genug und wurde von Konrektor Roy erwischt, der mich zwang, das Geld zurückzugeben.

Er erteilte mir sogar einen Verweis, was wirklich ungerecht war, vor allem, weil ich dem Jungen extra ein Sonderangebot gemacht und nur den halben Preis verlangt hatte.

Nach der Veranstaltung wurde mir eins klar: Rupert hatte noch nie einen Verweis erhalten, also war er als Kandidat für die Schülervertretung einfach PERFEKT. Ich schlug ihm vor zu kandidieren, aber er entgegnete, er wüsste gar nicht, was er tun sollte, wenn er gewählt würde.

Und das ist der Punkt, wo ich ins Spiel komme. Ich versicherte Rupert, dass ich ihm alle schwierigen Entscheidungen abnehmen würde, falls er gewählt wurde. Er müsste nur zu den Sitzungen gehen und tun, was ich ihm sagte. Ich finde, das ist eine GENIALE Idee, weil ich an der Macht wäre und trotzdem auf keine einzige Pause verzichten müsste.

Ich meldete mich als sein Wahlkampfleiter, damit Rupert für seine Wahl keinen Finger zu rühren brauchte. Wir gingen zum Schwarzen Brett in der Eingangshalle, um ihn einzutragen.

Ich riet ihm, für einen der saftigen Posten wie Präsident oder Vizepräsident zu kandidieren, doch er wollte lieber „Sozialbeauftragter" werden. Ich habe keine Ahnung, was ein Sozialbeauftragter macht, aber solange Rupert dadurch eine Stimme bei den wichtigen Entscheidungen bekommt, soll es mir recht sein.

Mittwoch

Gestern hängten andere Kandidaten Poster in den Fluren auf und verteilten Buttons und Süßigkeiten als Wahlkampfgeschenke. Wir sind also SCHON JETZT im Hintertreffen.

Ich wusste, ich musste mir etwas einfallen lassen, damit Rupert gewählt wird, und das hier ist meine Idee:

Wenn die Kandidaten in der Turnhalle ihre Ansprachen halten, sind die Reihen voller Schüler. In Sportsendungen im Fernsehen habe ich schon gesehen, dass sich die Leute Buchstaben auf die Brust malen, um ihre Mannschaft anzufeuern.

Gestern Abend habe ich mir einen Stapel von Onkel Garys T-Shirts aus der Garage geholt, sie auf links gedreht und auf jedes einen Buchstaben geschrieben, sodass alle zusammen „WÄHLT RUPERT JEFFERSON ZUM SOZIALBEAUFTRAGTEN" ergeben. Ich habe den ganzen Abend dafür gebraucht und ungefähr zwanzig Filzstifte verschlissen, aber ich wusste, dass es in der Turnhalle einschlagen würde wie eine Bombe.

Heute ging ich früh in die Schule und gab jedem, der sich dazu bereit erklärte, so ein Shirt zu tragen, einen Kaugummi.

Aber als wir in die Turnhalle kamen, zeigte sich, dass es garantiert leichter war, einen Sack Flöhe zu hüten, als zu versuchen, Kinder in die richtige Reihenfolge zu bringen.

Nur die Kandidaten, die Präsident werden wollten, mussten eine Rede halten. Ich war ganz schön froh, als ich das hörte, denn als ich Rupert seinen Vortrag für das Amt des Sozialbeauftragten proben ließ, war er das reinste Nervenbündel.

Die erste Rede hielt ein Mädchen namens Sydney Greene, eine Einserschülerin, die noch nie gefehlt hatte. Sie sagte, wenn wir sie zur Präsidentin wählten, würde sie für eine bessere Ausstattung des Musiksaals sorgen und eine Arbeitsgruppe ins Leben rufen, die die Schutzfolien um die Bibliotheksbücher erneuern soll.

Als Nächster kam Bryan Flatus an die Reihe. Sein Problem war, dass irgendwann einmal jemand nachgeschlagen hat, was „Flatus" heißt, und als Konrektor Roy ihn auf das Podium rief, fingen alle in der Turnhalle an, unanständige Geräusche zu machen.

Ich bin mir sicher, dass Bryan in seiner Rede eine Menge interessanter Dinge sagte, aber bei dem Lärm konnte man kein Wort verstehen.

Ich hoffe, Bryan kandidiert als Erwachsener nicht auch für die Präsidentschaft, denn dann wären seine Wahlkampfveranstaltungen wahrscheinlich auch eine einzige Lachnummer.

Als letzter Kandidat kam Eugene Ellis an die Reihe. Eugene war der einzige Präsidentschaftskandidat, der keine Poster aufgehängt oder Dauerlutscher verteilt hatte, und deshalb nahm ihn natürlich niemand so richtig ernst.

Eugenes Wahlkampfrede dauerte nur ungefähr dreißig Sekunden. Er versprach, wenn er Präsident wird, sorgt er dafür, dass das billige Klopapier in den Schultoiletten durch eine teure, vierlagige Sorte ersetzt wird.

Als Eugene zu Ende gesprochen hatte, brach in der Turnhalle die Hölle los. Alle Schülerinnen und Schüler beklagen sich STÄNDIG über das miese Klopapier; die Sorte, die es in der Schule gibt, ist rau wie Schmirgelpapier.

Und nach der Wirkung von Eugenes Rede nach zu urteilen, haben Sydney und Bryan wohl nicht den Hauch einer Chance.

Donnerstag

Ganz wie vermutet, hat Eugene Ellis die Wahl zum Schülerpräsidenten mit einem Erdrutschsieg gewonnen. Auch Rupert hat gewonnen, aber nur, weil er als Einziger für den Posten des Sozialbeauftragten angetreten ist. Ich wünschte, ich hätte das vorher gewusst, denn dann wäre ich nie auf die Idee gekommen, so einen Aufwand mit den T-Shirts zu betreiben.

Heute hatte die Schülervertretung ihre erste Sitzung, und Mrs Birch, die Lehrerin, die dort mitarbeitet, teilte Eugene mit, dass die Schule es sich nicht leisten könnte, die Toiletten mit vierlagigem Klopapier auszustatten, also könnte er die Sache vergessen.

Die Neuigkeit sprach sich schnell in der ganzen Schule herum, und alle waren ganz schön sauer. Eugenes Wahlversprechen war der einzige Grund, warum sie für ihn gestimmt hatten. Außerdem veranstalten wir jedes Jahr Spendenaktionen für die Schule, und da sollte man doch meinen, dass sie ein wenig von dem ganzen Geld nehmen und es für anständiges Toilettenpapier ausgeben könnten.

Ich dachte ja, die Schule würde nach der letzten Spendenaktion von vor ein paar Wochen in Geld schwimmen. Wir sollten Schokoriegel verkaufen, und wer auch immer auf die Idee gekommen ist, hat echt ein Lob verdient. Die Schule schickte jeden Schüler mit fünfzig Schokokracher-Riegeln nach Hause, und wir sollten von Tür zu Tür gehen und die Dinger an unsere Nachbarn verkaufen.

Ich kenne aber niemanden, der nicht schon auf dem Heimweg drei oder vier Schokoriegel vertilgt hat. Ich glaube, ich hatte fünfzehn davon gefuttert, als Mom mich erwischte und der Sache ein Ende machte.

Eine Menge Familien mussten der Schule deshalb Geld zahlen für die Schokoriegel, die ihre Kinder gegessen hatten. Es wäre durchaus denkbar, dass während der ganzen Aktion niemand auch nur einen einzigen Riegel wirklich verkauft hat.

Samstag

Wo wir schon beim Thema Geld sind, Onkel Gary hat sein komplettes Taschengeld für diese Woche schon ausgegeben und mich gefragt, ob ICH ihm etwas leihen könnte. Als Dad davon erfuhr, war er ganz schön sauer.

Wie sich herausstellte, gibt Onkel Gary sein ganzes Geld im Zeitschriftenladen für Rubbellose aus. Dad erklärte Onkel Gary, dass er eher vom Blitz getroffen wird, als in der Lotterie zu gewinnen, und nur sein Geld verplempert.

Dad hätte sich wohl besser vorher mal überlegen sollen, was er sagt, denn jetzt traut Manni sich bei Regen nicht mehr aus dem Haus.

Rubbellose sind für Dad sowieso ein wunder Punkt. Vor ein paar Jahren hat er Onkel Gary eine schöne Winterjacke zu Weihnachten geschenkt, bekam von ihm aber nur ein Rubbellos. Dad wirkte ein bisschen verärgert, weil er so viel Geld für Onkel Gary ausgegeben hatte und Onkel Gary ihm etwas schenkte, das nur einen Dollar gekostet hatte.

Dad kratzte die kleinen Quadrate mit einer Münze frei, und darunter kamen drei Kirschen zum Vorschein, was bedeutete, dass er gerade hunderttausend Dollar gewonnen hatte.

Doch dann stellte sich heraus, dass das Los gefakt

war, also nur ein Scherzartikel, und Dad war darauf hereingefallen.

Bis heute dürfen wir dieses Weihnachtsfest Dad gegenüber nicht erwähnen, sonst hat er für den Rest des Tages schlechte Laune.

Was Onkel Gary angeht, wünscht sich Dad einfach, dass er einen Job findet, damit er wieder auszieht.

Ich stimme ihm allmählich immer mehr zu, denn in letzter Zeit verbringt Onkel Gary sehr viel Zeit in meinem Zimmer und spielt an meinem Computer.

Er ist süchtig nach diesem Spiel mit der virtuellen Welt, in der man alles sein kann, was man will, egal ob Polizist oder Bauarbeiter oder Rockstar.

Doch Onkel Gary ist in dem Spiel nur so ein Typ, der keinen Job hat und jeden Tag einen ganzen Stapel Rubbellose kauft.

FEBRUAR

Donnerstag

Diese Woche hat es in der Schule einige ganz große Entwicklungen gegeben.

Alles begann am Montag bei der letzten Sitzung der Schülervertretung. Die Sitzungen finden im Lehrerzimmer statt, und als der Schatzmeister, Javan Hill, die Toilette benutzen musste, kam er mit einer Rolle vierlagigem Klopapier der Marke Samtweich Ultra wieder heraus.

Das heißt, die Lehrer gönnen sich gutes Toilettenpapier, während sie uns Schüler mit dem billigen Zeug abspeisen.
Als Eugene Ellis Mrs Birch damit konfrontierte, wusste sie sofort, dass die Lehrer auf verlorenem Posten standen.

Mrs Birch räumte zwar ein, dass die Lehrerschaft Samtweich Ultra benutzte, erklärte aber, die Schule hätte einfach nicht genug Geld, um alle Schülertoiletten mit teurem Klopapier auszustatten. Sie schlug daher einen Kompromiss vor.

Sie sagte, die Schule würde es von nun an den Schülern gestatten, von zu Hause ihr EIGENES Toilettenpapier mitzubringen. Und als die Vereinbarung per Lautsprecherdurchsage bekannt gegeben wurde, bedeutete es einen großen Sieg für Eugene Ellis und den Rest der Schülervertretung.

Am Dienstag durften wir dann zum ersten Mal unser eigenes Toilettenpapier in die Schule mitnehmen, und ich glaube, ein paar von uns haben es mal wieder übertrieben.

Einige brachten so viel Klopapier mit, dass sie es nicht mal in ihrem Spind unterbringen konnten, also trugen sie ihre Vorräte den ganzen Tag mit sich herum.

Wahrscheinlich wäre auch alles prima gelaufen, aber beim Mittagessen warf jemand eine Klopapierrolle nach einem Schüler, und es dauerte keine fünfzehn Sekunden, und die gesamte Cafeteria verwandelte sich in ein Irrenhaus.

Noch am selben Nachmittag verkündete der Rektor per Lautsprecherdurchsage, dass wir ab jetzt nur noch fünf Blatt Klopapier pro Tag mitbringen dürften. Doch ich fand diese Regelung vollkommen absurd, denn ich kenne wirklich NIEMANDEN, der mit fünf Blatt auskommt.

Gestern wurden mehrere Schüler dabei erwischt, wie sie mehr Klopapier mitbrachten, als erlaubt ist, und jetzt kontrollieren die Lehrer jeden Morgen unsere Schultaschen am Eingang.

Donnerstag

Als der Rektor letzte Woche das Fünf-Blatt-Limit setzte, hatte ich in meinem Spind schon ungefähr zwanzig Samtweich-Rollen verstaut.

Die Lehrer kontrollierten jetzt aber auch stichprobenartig die Schülerspinde, und mir war klar, dass sie meinen Geheimvorrat früher oder später finden würden.

Ich wollte sicherstellen, dass mein Vorrat bis zum Ende des Schuljahres reichte, und musste mir überlegen, wie ich ihn am besten schützte.
Ich kam zu dem Schluss, dass sich mein Vorhaben nur verwirklichen ließ, indem ich mir eine eigene Toilettenkabine aneignete und mein Klopapier darin versteckt hielt.
Am Montag suchte ich mir eine halbwegs saubere Kabine aus und schloss von innen ab. Dann kroch ich unter der Trennwand hindurch nach draußen.

Als Nächstes schob ich ein Paar alte Turnschuhe, die ich von zu Hause mitgebracht hatte, vor die Toilettenschüssel, damit es so aussah, als wäre die Kabine besetzt.

Wenn ich in dieser Woche zur Toilette musste, wartete ich jedes Mal, bis niemand in der Nähe war, und kroch dann unter meiner Tür durch. Es war fast, als hätte ich dort eine kleine Wohnung. Warum hatte ich diesen tollen Einfall nicht schon viel früher gehabt?

Ein paar Tage lang funktionierte mein System wunderbar. Niemand VERSUCHTE auch nur, meine Privatkabine zu benutzen.

Aber dann vergaß ich, einen der Ersatzschuhe wegzuräumen, als ich gerade selbst auf dem Klo saß, und das muss von außen wohl ziemlich verdächtig ausgesehen haben.

Es dauerte nicht lang, und die anderen begriffen, dass ich dort Klopapier hortete. Danach ging alles ziemlich schnell den Bach runter.

Freitag

Etwas haben wir Schüler aus dem Klopapierdebakel aber gelernt: Wenn wir etwas haben wollen, müssen wir das Geld dafür selbst auftreiben.

Diese Woche sammelte die Schülervertretung darum Ideen für eine Spendenaktion. Die Vizepräsidentin, Hillary Pine, meinte, wir sollten Autos waschen, und Olivia Davis, die Schriftführerin, schlug vor, einen gigantischen Garagenflohmarkt zu veranstalten.

Ich war der Ansicht, wir sollten Popcorn verkaufen, aber entweder hatte Rupert sein Walkie-Talkie nicht laut genug gestellt, oder er beachtete mich absichtlich nicht.

Eugene Ellis schlug Profiwrestling in der Turnhalle vor, und Javah Hill hatte die Idee, eine Motocross-Stuntshow zu veranstalten. Sie konnten sich aber auf keinen Vorschlag einigen, und deshalb beschlossen sie, eine Mischung aus Motocross- und Wrestling-Event zu machen.

Ich glaube, Eugene erkannte schnell, dass die Organisation dieses Events eine Menge Arbeit bedeutete, und so übertrug er sie an seine Vizepräsidentin. Hillary gründete ein Finanzierungskomitee und überredete ihre Freundinnen in der Schülervertretung, dabei mitzumachen.

Am Montag meldete sich Hillary bei der Schülervertretung zurück. Der Event sei schon komplett durchgeplant, aber das Finanzierungskomitee habe die ursprüngliche Idee „leicht abgewandelt".

Irgendwie war aus dem Motocross-Wrestling-Event ein VALENTINSTAGS-BALL geworden. Eugene und die anderen Jungen wollten die Veränderungen rückgängig machen, aber Mrs Birch sagte, sie müssten die Entscheidung des Finanzierungskomitees schon respektieren. Ich bin mir ziemlich sicher, dass sie von Anfang an nicht besonders begeistert war von der Vorstellung, dass Motorräder durch unsere Turnhalle rasen.

Seit sich die Sache mit dem Valentinstags-Ball herumgesprochen hat, reden die Leute von nichts anderem mehr. Die Mädchen scheinen richtig aufgeregt zu sein, und sie tun fast so, als wäre das Ganze eine Art Schulabschlussball.

Es gibt bereits ein Tanzkomitee, zu dem Rupert eingeladen wurde, weil er der Sozialbeauftragte ist. Ich bin froh, dass es in dem Komitee einen männlichen Teilnehmer gibt, denn wenn es nach den Mädchen geht, singt den ganzen Abend lang Krisstina.
Den meisten Jungs ist der Ball schnurzpiepegal.
Ich habe schon mehrere sagen hören, dass sie nie im Leben drei Dollar zahlen, nur um in der Turnhalle unserer Schule tanzen zu dürfen. Aber als heute die ersten Candygramme verteilt wurden, änderte sich alles.

Candygramme sind Einladungen zum Valentinstags-Ball, und das Tanzkomitee hat gestern beim Mittagessen angefangen, sie zu verkaufen. Wenn man fünfundzwanzig Cent bezahlt, kann man wem immer man will ein Candygramm schicken. Bryce Anderson bekam sofort Candygramme von mindestens fünf Mädchen.

Nachdem die erste Welle Einladungen zugestellt worden war, wurden einige Jungen, die keine bekommen hatten, neidisch auf die, die ein Candygramm erhalten hatten. Jetzt will plötzlich JEDER zu dem Ball, weil keiner ausgeschlossen sein möchte. Gestern beim Mittagessen gab es deshalb einen Riesenansturm auf die Candygramme.

Wie gesagt sind in unserer Jahrgangstufe mehr Jungen als Mädchen, und viele von uns schieben wohl Panik, dass sie am Ende ohne eine Tanzpartnerin dastehen. Deshalb benehmen sich die meisten plötzlich völlig anders, sobald ein Mädchen in der Nähe ist. Beim Mittagessen schleudern die Jungen normalerweise immer wieder Löffel voll Kartoffelbrei an die Decke, mit dem Ziel, dass er kleben bleibt.

Fragt mich bloß nicht, was sie uns hier ins Kartoffelpüree tun, dass es dermaßen klebrig ist.

Manchmal vergesse ich leider, an die Decke zu sehen, ehe ich mich an den Tisch setze.

Die Mädchen finden das Schießen mit Kartoffelpüree eklig, und das ist auch der Grund, weshalb sie sich immer auf die andere Seite der Cafeteria setzen. Aber inzwischen haben alle Jungen begriffen, dass sie von keinem Mädchen ein Candygramm bekommen, solange sie sich wie Idioten aufführen.

Vielen fällt es sehr schwer, sich vor den Mädchen erwachsen zu benehmen. Deshalb müssen sie einfach Dampf ablassen, sobald keine Mädchen mehr in der Nähe sind.

Im Sportunterricht spielen wir zurzeit Basketball; die Mädchen trainieren in der einen Hälfte der Turnhalle, wir Jungen in der anderen. Gestern hielt es Anthony Renfrew für total komisch, Daniel Revis die Shorts runterzuziehen, während der Freiwürfe übte.

Alle lachten sich darüber kaputt, nur Daniel nicht, aber er rächte sich später an Anthony, als der gerade zu einem Korbleger ansetzte. Danach hieß es jeder gegen jeden, und jeder versuchte jemandem die Shorts runterzuziehen. Seitdem ist es mal wieder ziemlich SCHRECKLICH an unserer Schule.

Sämtliche Schüler haben jetzt solche Angst davor, auf einmal in Unterhose dazustehen, dass selbst beim Basketballspielen keiner mehr laufen will.

Zur Sicherheit trage ich jetzt sogar zwei Unterhosen unter meiner Sporthose.

Die Sache ist derart ausgeartet, dass Konrektor Roy heute in die Turnhalle kam und uns eine Standpauke hielt. Er sagte, das Herunterziehen von Hosen sei nicht komisch, und jeder, der dabei erwischt würde, wie er einem anderen Schüler die Hose herunterziehe, müsse nachsitzen.

Doch Konrektor Roy hätte besser aufpassen sollen, wo er sich hinstellt, denn irgendjemand war unter die Zuschauerbänke gekrochen und erwischte ihn eiskalt.

Wer immer das getan hat, er entkam, ehe Konrektor Roy ihn schnappen konnte. Niemand weiß genau, wer es war, aber alle nennen den Kerl nur den Verrückten Hosenreißer.

Dienstag

Jetzt ist fast eine Woche vergangen, seit es die Candygramme gibt, und ich habe noch keins bekommen. Dabei habe ich noch nie Kartoffelbrei an die Decke geklatscht oder jemandem die Hose runtergezogen. Ich weiß echt nicht, was ein Junge heutzutage tun muss, um ein Mädchen zu beeindrucken.

Wie es scheint, hat jeder in meiner Klasse schon ein Candygramm bekommen, sogar Travis Hickey, und der fischt sich für einen Vierteldollar Pizzareste aus der Mülltonne und futtert sie.

Als Onkel Gary gestern Nacht wieder an meinem Computer spielte, erzählte ich ihm von dem Valentinstags-Ball und den Candygrammen. Und ob ihr's glaubt oder nicht, er hat mir ein paar richtig gute Tipps gegeben.

Onkel Gary meint, dass man die Aufmerksamkeit eines Mädchens am ehesten auf sich zieht, wenn man sich „unerreichbar" gibt. Er sagte, ich solle mir einen Haufen Candygramme kaufen und sie alle an MICH SELBST schicken, damit die Mädchen denken, ich wäre richtig heiß begehrt.

Auf die Idee, mit Onkel Gary zu reden, hätte ich eigentlich auch früher kommen können. Er ist schon ungefähr vier Mal verheiratet gewesen, da muss er ja ein EXPERTE für Beziehungen sein.

Gestern habe ich mir für zwei Dollar Candygramme gekauft, und heute in der ersten Stunde wurden sie mir zugestellt.

Ich hoffe nur, die Idee funktioniert auch, denn die zwei Mäuse waren mein Essensgeld.

Freitag

Bis Mittwoch hatte ich fünf Dollar verbraten, und mir war klar, dass ich verhungern würde, wenn ich mir weiter selbst Candygramme schickte. Deshalb beschloss ich, ein Candygramm für ein MÄDCHEN zu kaufen, um so meine Chancen zu testen.

Gestern schickte ich also ein Candygramm an Adrianne Simpson, die in Englisch drei Reihen von mir entfernt sitzt. Ich wollte aber nicht einen ganzen Vierteldollar nur für eine aufs Spiel setzen, deshalb sorgte ich dafür, dass ich das Maximum aus meiner Investition herausholte.

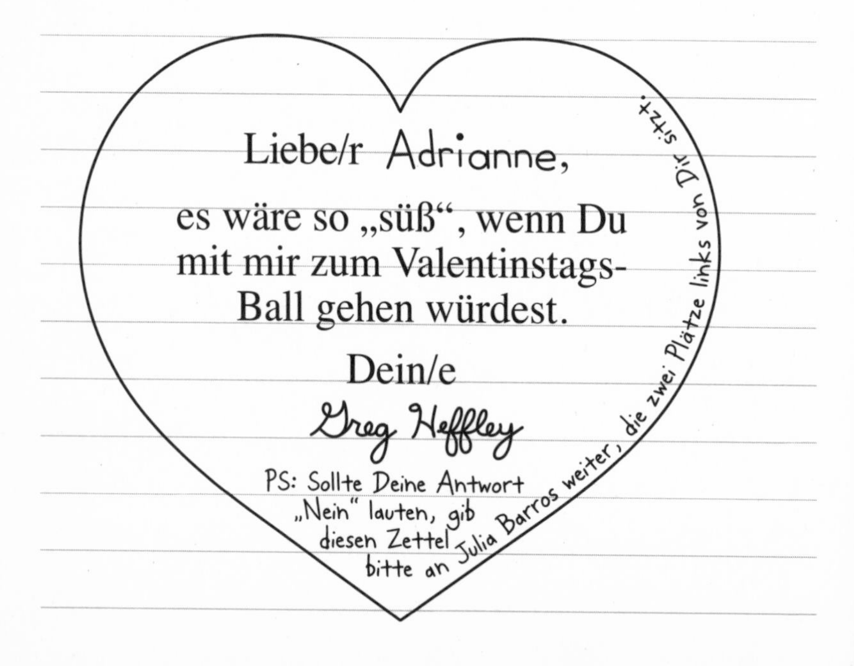

Als ich heute in die Klasse kam, guckten mich Adrianne und Julia total böse an. Es sieht sehr danach aus, dass sie mir beide eine Abfuhr erteilen.
Mir wurde klar, dass ein Candygramm nicht die EINZIGE Möglichkeit ist, ein Mädchen zum Ball einzuladen. An meinem Platz in Geschichte sitzt in einer anderen Stunde ein Mädchen namens Leighann Marlow. Deshalb schrieb ich ihr einfach eine Nachricht auf den Tisch, denn das kostete mich keinen Cent.
Leider vergaß ich, dass im selben Raum auch das Nachsitzen stattfindet, und irgendein Idiot schrieb eine Antwort, ehe Leighann meine Nachricht lesen konnte.

Hallo, Leighann!
Wenn Du noch jemanden für den Ball suchst, dann lass es mich einfach wissen, indem Du zurückschreibst.
Greg Heffley

Hallo, Greg! Tut mir leid, aber ich bin nicht daran interessiert, mit Dir zum Ball zu gehen.
Leighann

Liebster Greg!
Ja, ich gehe gerne mit dir tanzen und P.S. Willst du mich auch heiraten?

KNUTSCH KNUTSCH

HA HA HA

Ich bin ziemlich nervös, denn die Auswahl an Mädchen wird immer kleiner.
Eine, die noch keine Verabredung hat, ist Erika Hernandez. Sie hat gerade mit ihrem Freund, Jamar Law, Schluss gemacht. Jamar ist auf unserer Schule dafür berühmt, dass er es geschafft hat, seinen Kopf in einer Stuhllehne einzuklemmen. Der Hausmeister musste damals kommen und ihn mit einer Metallsäge befreien. Im Jahrbuch gibt es ein Bild davon, und wirklich jeder kennt die Story.

Jetzt wird's eng: Jamar Law braucht ein wenig Hilfe von Mr Lewis, nachdem er in der Kunststunde bei Mrs Moran den Kopf durch eine Stuhllehne gesteckt hat.

Erika ist wirklich nett und hübsch, also fragt mich bloß nicht, was sie geritten hat, sich mit so einem Hirni wie Jamar Law abzugeben.

EIGENTLICH könnte sie ganz oben auf meiner Liste stehen. Meine Sorge ist nur: Wenn es zwischen ihr und mir klappt, dann müsste ich dauernd an ihren Exfreund denken, und damit käme ich einfach nicht klar.

Das Erika-Hernandez-Problem warf für mich die Frage auf, ob es in der Vergangenheit anderer Mädchen vielleicht ebenfalls einen Jamar Law gegeben hat. Es ist schwer, den Überblick zu behalten, wer auf meiner Schule schon mit wem gegangen ist, aber das sind wichtige Informationen, wenn man eine Begleitung für den Ball sucht. Daher legte ich ein Schaubild an, auf dem ich genau sehen konnte, wer in meiner Klasse zu wem in welcher Beziehung steht.

Ich bin noch längst nicht fertig, aber hier ist die vorläufige Fassung:

Am meisten Sorgen bereitet mir ein Junge namens Evan Whitehead. Ich habe gehört, wie er rumprahlte, er hätte schon eine ganze Reihe Mädchen aus meiner Jahrgangsstufe geküsst.

Letzte Woche wurde Evan allerdings nach Hause geschickt, weil er die Windpocken hatte; dabei dachte ich immer, die KÖNNTE man gar nicht mehr bekommen. Niemand weiß, wie viele Mädchen Evan angesteckt hat, ehe seine Krankheit ausbrach.

Ein Mädchen, bei dem ich ziemlich sicher bin, dass Evan sie noch nie geküsst hat, ist Julie Webber, weil sie seit der fünften Klasse mit Ed Norwell geht. Ich habe aber gehört, dass es in ihrer Beziehung in letzter Zeit nicht so gut läuft, und ich tue, was ich kann, um die unvermeidliche Entwicklung zu beschleunigen.

Dienstag

Onkel Gary ist der Ansicht, wenn ich will, dass ein Mädchen mit mir zum Ball geht, dann muss ich es persönlich fragen. Genau das habe ich die ganze Zeit zu vermeiden versucht, aber vermutlich hat er recht. An unserer Schule gibt es ein Mädchen namens Peyton Ellis, das ich schon immer gut leiden konnte. Als ich Peyton gestern am Wasserspender trinken sah, blieb ich stehen und wartete geduldig darauf, dass sie fertig wurde. Aber Peyton muss mich aus dem Augenwinkel bemerkt und begriffen haben, dass ich sie zum Ball einladen wollte, denn sie trank immer weiter und weiter, während ich wie ein Trottel danebenstand.

Schließlich klingelte es, und wir mussten beide zum Unterricht.

Ich kenne Peyton kaum, daher war es wahrscheinlich keine gute Idee, sie zu fragen. Mir wurde klar, dass ich mich besser an Mädchen hielt, zu denen ich auch Kontakt hatte. Die Erste, die mir in den Sinn kam, war Bethany Breen, meine Laborpartnerin im Naturwissenschaftsunterricht.

Ich fürchte nur, ich habe keinen besonders guten Eindruck auf Bethany gemacht. Wir nehmen zurzeit Anatomie durch und haben in den letzten Tagen Frösche seziert. Bei so etwas wird mir superschnell übel, also überließ ich Bethany die ganze Schnippelei, während ich am anderen Ende des Saals stand und versuchte, mein Frühstück bei mir zu behalten.

Aber ernsthaft, ich kann wirklich nicht begreifen, wieso man heutzutage immer noch Frösche aufschneiden muss, um zu gucken, wie sie von innen aussehen.

Wenn mir jemand erzählt, in einem Frosch stecken ein Herz und Eingeweide, dann glaube ich ihm das auch so. Ich war ziemlich froh, als Bethany meine Laborpartnerin wurde. Ich weiß noch, wie in der Grundschule jedes Mal alle TOTAL durchdrehten, wenn eine Lehrerin einem Jungen und einem Mädchen zusammen einen Arbeitsauftrag gab.

Als man mich und Bethany zu Laborpartnern machte, hoffte ich auf irgendeine Reaktion von der Klasse. Aber ich glaube, darüber ist heute wirklich jeder hinaus.

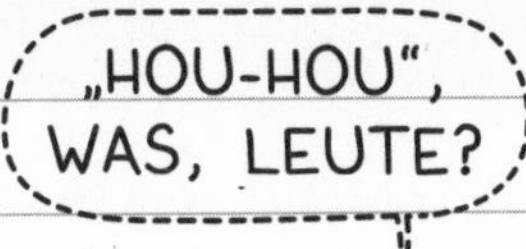

Aber auch wenn ich Bethany mit meinen Sezierkünsten nicht beeindrucken konnte, dachte ich trotzdem, ich hätte bei ihr gepunktet. Ich will ja nicht angeben oder so, aber ich bin ein ziemlich lustiger Laborpartner.

Also ging ich gestern auf Bethany zu, während sie ihren Laborkittel aus dem Spind nahm.

Ich gebe zu, dass ich ein bisschen Schiss davor hatte, sie anzusprechen, auch wenn wir als Laborpartner jeden Tag eine Dreiviertelstunde miteinander verbringen. Doch ehe ich auch nur ein Wort herausbrachte, musste ich auf einmal an die Frösche denken. Also wird das wohl nichts mit uns beiden.

Gestern Abend sprach ich wieder mit Onkel Gary darüber, was in der Schule passiert ist, und er gab mir den Rat, nicht alles auf eigene Faust machen zu wollen. Ich bräuchte einen „Flügelmann", der mich vor den Mädchen gut aussehen lässt; dann wäre es leichter, sie um eine Verabredung zu bitten.
Na, ich schätze, Rupert wäre für mich der PERFEKTE Flügelmann, denn er lässt mich schon allein dadurch gut aussehen, dass er ganz er selbst ist.

Heute habe ich Rupert gefragt, ob er mein Flügelmann sein will, aber er hat nicht richtig begriffen, was das bedeutet. Deshalb erklärte ich es ihm damit, dass er im Grunde so was wie mein Wahlkampfleiter ist, nur eben für den Ball.

Rupert erwiderte, dass wir uns vielleicht gegenseitig helfen könnten, eine Verabredung zu bekommen, aber ich fand, dass wir uns besser erst mal nur auf einen von uns konzentrieren. Mir scheint es sinnvoller, uns zuerst um meine Zwangslage zu kümmern, denn Rupert eine Verabredung zum Ball zu verschaffen, könnte sich leicht zum Langzeitprojekt entwickeln.

Beim Mittagessen machten wir einen Testlauf für die Flügelmann-Idee, aber ich glaube, da ist noch viel Raum für Verbesserungen.

Donnerstag

Heute hat mir Rupert auf dem Nachhauseweg erzählt, er hätte von einem Mädchen im Tanzkomitee gehört, dass Alyssa Grove gerade mit ihrem Freund Schluss gemacht hat und jetzt jemanden sucht, mit dem sie zum Ball gehen kann.

Und genau deshalb habe ich Rupert zu meinem Flügelmann gemacht! Alyssa ist eines der beliebtesten Mädchen der Schule, und ich musste schnell handeln, bevor eine von den anderen Pfeifen in meiner Klasse auf sie aufmerksam wurde.

Zu Hause rief ich sofort bei Alyssa an, aber es war niemand da. Der Anrufbeantworter sprang ganz schnell an, und ohne nachzudenken, hinterließ ich eine Nachricht.

Ich drückte die Raute-Taste am Telefon, damit die Nachricht gelöscht wurde, und startete einen neuen Versuch. Aber meine zweite Nachricht war auch nicht so toll.

Ich habe mindestens zwanzig Nachrichten auf den AB gesprochen, weil ich es unbedingt perfekt machen wollte. Doch Rupert saß neben mir, und obwohl er sich bemühte, mucksmäuschenstill zu sein, konnte ich mich einfach nicht mehr beherrschen, sobald ich ihn ansah.

Nach einer Weile hatten Rupert und ich tierischen Spaß und alberten nur noch rum.

Ich wusste, dass ich auf keinen Fall eine ernsthafte Nachricht hinterlassen konnte, solange Rupert da war, deshalb löschte ich auch die letzte und legte auf. Ich sagte mir, dass ich ja auch bis morgen warten und Alyssa persönlich ansprechen konnte.

Mir war allerdings nicht klar gewesen, dass ich mit dem Drücken der Raute-Taste meine Nachrichten auf dem Anrufbeantworter der Groves nicht einfach so löschen konnte wie auf unserem. Nach dem Abendessen klopfte es bei uns an der Tür, und als Dad öffnete, stand Alyssas Vater vor ihm.

Mr Grove erzählte Dad, dass ich und mein Freund Rupert über zwanzig Scherzanrufe auf seinem AB hinterlassen hätten und er nicht wünsche, dass wir je wieder bei ihm anrufen.

Also, Alyssa kann ich wohl von meiner Liste streichen.

Onkel Gary erklärte mir, wenn ich den Mädchen an der Schule wirklich die richtigen Signale senden wollte, dann sollte ich darüber nachdenken, meine Garderobe ein bisschen aufzupeppen. Er sagte, er fühle sich selbstsicherer, wenn er neue Schuhe oder ein neues Hemd trägt, und vielleicht klappt das ja auch bei mir. Das Problem ist nur, dass ich nicht besonders viele neue Klamotten besitze. Fast neunzig Prozent von allem, was ich trage, ist abgelegtes Zeug von Rodrick. Mom würde sagen, dass ich übertreibe, aber ihr braucht euch nur mal die Etiketten in meinen Unterhosen anzusehen und schon habt ihr den Beweis.

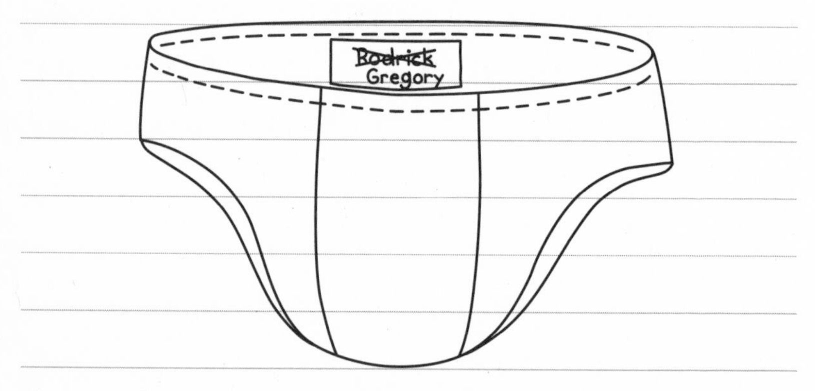

Eigentlich war mir immer ziemlich egal, was ich anhabe, aber nach Onkel Garys Bemerkung frage ich mich, ob ich mir mit meiner Kleidung vielleicht ein Eigentor schieße.

Am Wochenende fragte ich Mom, ob sie mir eine neue Jeans und neue Schuhe kaufen könnte, damit ich in der Schule Eindruck mache, aber kaum hatte ich es ausgesprochen, da wünschte ich mir auch schon, ich könnte es rückgängig machen.

Mom hielt mir eine lange Standpauke darüber, dass wir Jugendlichen uns zu viele Gedanken um unser Äußeres machen würden, und wenn wir nur halb so viel Zeit mit Lernen verbringen würden, wie wir dafür verschwenden, uns zu überlegen, was wir anziehen sollen, dann stünde unser Land in Mathematik im weltweiten Vergleich nicht auf Platz 25.

Ich hätte wissen müssen, dass Mom mich auf meine Bitte hin nicht einfach ins Auto packt und mir einen Haufen neue Klamotten kauft. Als Mom noch in der Elternpflegschaft war, zettelte sie eine Petition zur Einführung von Schuluniformen an, weil sie in einem Artikel gelesen hatte, dass Schüler, die Uniformen tragen, im internationalen Vergleich besser abschneiden.

Zum Glück bekam sie nicht genügend Unterschriften, aber es sprach sich herum, dass es meine Mutter gewesen war, die die Schuluniform-Petition gestartet hatte, und ein paar Wochen lang musste ich nach der Schule immer eine gute halbe Stunde warten, bis es sicher war, nach Hause zu gehen.

Da Mom also nicht mit mir Klamotten kaufen ging, beschloss ich, mich im Haus nach etwas Coolem umzusehen, das ich tragen könnte.
Ich fing mit Rodricks Kommodenschubladen an, aber ich fürchte, wir haben einfach nicht den gleichen Kleidergeschmack.

Onkel Gary riet mir, mal einen Blick in Dads Kleiderschrank zu werfen, denn Erwachsene hätten manchmal Sachen, die so altmodisch sind, dass sie schon wieder cool aussehen. In meinem ganzen Leben habe ich Dad noch nichts Cooles tragen sehen, doch ein Versuch konnte ja nicht schaden.

Ich bin froh über Onkel Garys Tipp, denn ob ihr's glaubt oder nicht, in Dads Schrank fand ich GENAU das, wonach ich suchte.

Es war eine SCHWARZE LEDERJACKE. Ich hatte sie noch nie an Dad gesehen, und vermutlich hatte er sie lange vor meiner Geburt gekauft. Ich hätte nie gedacht, dass Dad so etwas Cooles besitzen könnte, und plötzlich sah ich ihn in einem ganz anderen Licht.

Ich zog sie an und ging nach unten. Dad schien ziemlich überrascht zu sein, seine alte Lederjacke wiederzusehen. Er erzählte mir, er hätte sie gekauft, kurz nachdem er Mom kennengelernt hatte. Ich fragte Dad, ob ich sie mir leihen dürfte, und er antwortete, er bräuchte sie nicht mehr, von ihm aus wäre es okay.

Dummerweise war Mom überhaupt nicht damit einverstanden. Sie meinte, die Jacke wäre viel zu teuer gewesen, als dass ein Schüler der Junior Highschool sie tragen sollte, und ich könnte sie beschädigen oder verlieren.

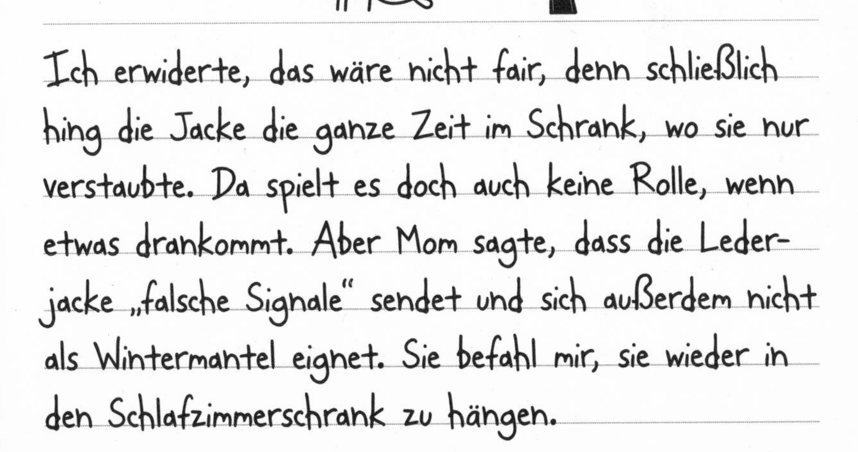

Ich erwiderte, das wäre nicht fair, denn schließlich hing die Jacke die ganze Zeit im Schrank, wo sie nur verstaubte. Da spielt es doch auch keine Rolle, wenn etwas drankommt. Aber Mom sagte, dass die Lederjacke „falsche Signale" sendet und sich außerdem nicht als Wintermantel eignet. Sie befahl mir, sie wieder in den Schlafzimmerschrank zu hängen.

Doch heute Morgen unter der Dusche konnte ich an nichts anderes denken als daran, wie toll es wäre, in dieser Lederjacke zur Schule zu gehen. Ich wusste, ich könnte sie bestimmt aus dem Haus schmuggeln und sie später wieder in den Schrank zurückhängen, ohne dass Mom etwas davon merkte.

Während sie Manni fütterte, ging ich nach oben, schnappte mir die Lederjacke und schlüpfte zur Haustür hinaus.

Leider muss ich zugeben, dass Mom zumindest in einer Hinsicht vollkommen recht hatte: Die Lederjacke war kein Wintermantel.

Das Ding war überhaupt nicht gefüttert, und auf halbem Weg zur Schule bereute ich meine Entscheidung schon heftig.

Meine Handschuhe steckten zu Hause in meinem Wintermantel, und meine Hände waren EISKALT. Ich schob sie deshalb in die Jackentaschen, aber in beiden war etwas drin.

In der einen war eine richtig coole Piloten-Sonnenbrille, also echt ein Jackpot. In der anderen befand sich einer dieser Passbildstreifen, die man in den Fotokabinen im Einkaufszentrum machen lassen kann.

Zuerst erkannte ich die Leute auf den Bildern gar nicht, aber dann begriff ich, dass es Mom und Dad waren.

Ich wünschte wirklich, dieser Anblick gleich nach dem Frühstück wäre mir erspart geblieben.

Als ich in die Schule kam, drehte sich jeder zu mir um, während ich den Flur entlanglief.

Ich erhielt so viel Aufmerksamkeit, dass ich beschloss, die Lederjacke für den Rest des Tages anzubehalten. In der ersten Stunde fühlte ich mich wie ein völlig neuer Mensch.

Kurz bevor es klingelte, klopfte es laut an das kleine Fenster in der Klassenzimmertür.

Als ich erkannte, wer da klopfte, bekam ich fast einen Herzanfall.

Der Lehrer öffnete die Tür, und Mom stürzte direkt zu meinem Tisch und zwang mich vor allen Leuten, Dads Lederjacke wieder auszuziehen.

Ich entgegnete, es wäre viel zu kalt draußen, um ohne Jacke nach Hause zu gehen, und daraufhin gab sie mir IHREN Wintermantel.

Darüber war ich natürlich nicht gerade begeistert, aber wenigstens war mir auf dem Nachhauseweg warm.

Mittwoch

Mittlerweile kennt jeder in der Schule den Typ, der von seiner Mutter dazu gezwungen wurde, ihren Wintermantel zu tragen. Das macht es noch viel schwieriger für mich, ein Mädchen zu finden, das mit mir zum Ball gehen will.

Deshalb habe ich mir überlegt, dass ich die besten Chancen hätte, wenn ich ein Mädchen zum Ball mitnehme, das NICHT dieselbe Schule besucht wie ich. Und ich glaube, ich bin auf DIE Fundgrube schlechthin gestoßen: die Kirche.

Ich habe gehört, dass die Kirchenschüler die Schüler, die eine öffentliche Schule besuchen, für ziemlich hart halten. Wenn ich in der Kirche einen meiner Freunde treffe, markiere ich daher vor den Kirchenschülern immer den Coolen.

In letzter Zeit hat sich Mom in der Kirche mit Mrs Stringer angefreundet. Die beiden hatten beim Herbstfestausschuss zusammengearbeitet.

Die Stringers haben zwei Kinder, einen Jungen namens Wesley, der im kirchlichen Kindergarten ist, und ein Mädchen namens Laurel; sie besucht die Kirchenschule. Wesley habe ich noch nie gesehen, also spielt er wohl während der Gottesdienste mit den anderen kleinen Kindern im Keller.

Vor ein paar Tagen hat Mom die ganze Familie Stringer für Freitag zum Abendessen eingeladen. Vermutlich hofft sie, dass Manni und Wesley sich gut verstehen und Manni endlich einmal einen Freund aus Fleisch und Blut hat.

Doch ich witterte vor allem eine echte Gelegenheit für MICH. Laurel ist genauso alt wie ich, und sie sieht besser aus als die meisten anderen Mädchen. Dieses Abendessen könnte also wirklich alles verändern.

Freitag

Mom hat heute viel Zeit damit verbracht, das Haus herzurichten, bevor die Stringers kommen, und als ich mich so umsah, wurde mir klar, dass ich besser mit anpacke.

Überall lag peinliches Zeug rum. Zum Beispiel stand unser Weihnachtsbaum noch immer im Wohnzimmer. Ihn abzuschmücken wäre viel zu viel Arbeit, also trugen Dad und ich ihn schnell in die Garage.

Sämtliche Möbelstücke in unserem Wohnzimmer waren an den Ecken mit Windeln gepolstert. Sie stammten noch aus der Zeit, in der Manni zu krabbeln anfing.

Leider hatte Mom Paketband verwendet, um sie festzukleben, und DAS ließ sich nicht gerade leicht entfernen.

Onkel Gary lag auf der Wohnzimmercouch und schlief. Wir bedeckten ihn einfach mit einem Laken und hofften, dass sich niemand dorthin setzen würde.

Als Nächstes war die Küche an der Reihe. An der Wand hängt ein Schwarzes Brett mit verschiedenen Zertifikaten und Auszeichnungen, die Mom uns Kindern im Laufe der Jahre verliehen hat.

Ich finde das so was von peinlich, deshalb nahm ich alles von der Wand und versteckte es.

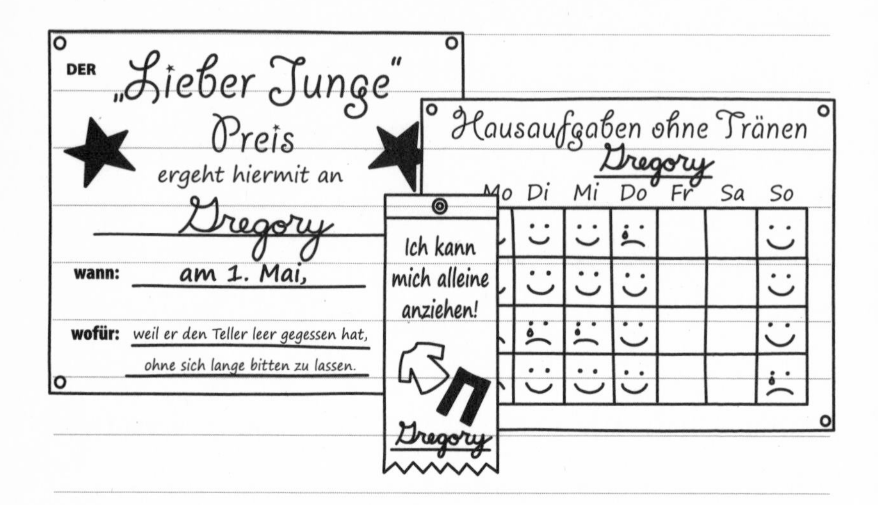

Als die Stringers aufkreuzten, hatten wir das Gröbste beseitigt. Doch der Abend fing gleich völlig falsch an. Erinnert ihr euch noch, was ich von dem Kind in der Kirche erzählt habe, vor dem Manni sich fürchtete, weil es so tat, als wäre es ein Vampir? Tja, wie sich herausstellte, war dieses Kind niemand anders als Wesley Stringer.

Damit war für Mom jede Hoffnung dahin, dass Manni endlich mal einen Spielfreund bekommt. Denn Manni kam nicht zum Essen und versteckte sich für den restlichen Abend in seinem Zimmer. Ich wünschte mir, ich hätte das Gleiche tun können, denn um unsere Gäste zu beeindrucken, hatte Mom ein äußerst aufwendiges Essen gekocht.

Es gab Huhn mit Pilzen in Sahnesoße und dazu Spargel. Ich weiß zwar, dass Spargel richtig gesund sein soll, aber auf mich hat er in etwa die gleiche Wirkung wie Kryptonit auf Superman.

Ich wollte vor Laurel aber ein bisschen weltmännisch erscheinen, weshalb ich einfach die Augen zukniff, mir die Nase zuhielt und das widerliche Zeug runterwürgte.

Die Erwachsenen redeten über Politik und anderen nicht gerade interessanten Kram, und Laurel und ich mussten dabeisitzen und zuhören.

Mom erzählte Mrs Stringer von einem teuren Restaurant, in das sie mit Dad gerne geht, wenn sie sich einen schönen Abend machen wollen, und Mrs Stringer erwiderte, dass sie am Wochenende nie mit ihrem Mann ausgehen kann, weil Laurel immer etwas mit ihren Freundinnen unternimmt und sie einfach keinen zuverlässigen Babysitter für Wesley finden.

Sofort bot ich Mrs Stringer an, dass sie MICH anrufen könnte, wenn sie mal wieder einen Babysitter braucht.

Ich sagte mir, dass das ein guter Weg ist, mich bei den Stringers beliebt zu machen und dafür sogar noch bezahlt zu werden. Mom gefiel die Idee, denn sie meinte, dass Babysitten für mich eine wichtige Erfahrung sein könnte. Mrs Stringer schien ziemlich beein-

druckt zu sein und wollte wissen, ob ich morgen Zeit hätte, was ich natürlich bejahte.
Ich möchte jetzt nicht allzu weit vorgreifen, aber ich bin sicher, eines Tages sitze ich an Thanksgiving mit den Stringers am Tisch, und wir lachen alle darüber, wie ich auf meinen Schwager Wesley aufgepasst habe, als ich noch auf die Junior Highschool ging.

Samstag

Heute Abend hat Mom mich um halb sieben bei den Stringers abgesetzt.

Dort erfuhr ich, dass Laurel bereits bei einer Freundin war. Das passte mir nun gar nicht, denn ich hatte gehofft, ich könnte mich ein paar Minuten mit ihr über den Ball unterhalten.

Mrs Stringer sagte, ich sollte Wesley um acht ins Bett bringen, und sie wären gegen neun wieder da. Sie erlaubte mir fernzusehen, bis sie zurückkämen, und ich durfte mich auch am Kühlschrank bedienen.

Nachdem Mr und Mrs Stringer das Haus verlassen hatten, waren Wesley und ich allein. Ich fragte ihn, ob er Lust auf ein Brettspiel oder so was hätte, doch Wesley wollte lieber sein Fahrrad aus der Garage holen.

Ich meinte, dass es draußen zu kalt zum Fahrradfahren war. Da erwiderte er, dass er sowieso DRINNEN damit fahren wollte. Die Stringers haben ein richtig schönes Haus, und ich war mir ziemlich sicher, sie wären nicht gerade begeistert, wenn Wesley ihnen das Parkett zerschrammte. Ich erklärte ihm also, dass wir uns etwas anderes überlegen müssten. Wesley bekam einen unglaublichen Wutanfall. Nachdem er sich beruhigt hatte, sagte er, er wollte lieber malen. Ich fragte ihn, wo seine Malsachen wären, und er behauptete, sie lägen in der Waschküche. Doch als ich hineinging, um sie zu holen, hörte ich, wie hinter mir die Tür abgeschlossen wurde.

Dann hörte ich, wie das Garagentor geöffnet wurde, und es dauerte nicht lange, und Wesley fuhr in der Küche mit seinem Fahrrad herum.

Ich hämmerte gegen die Tür, damit er mich hinausließ, aber er beachtete mich überhaupt nicht.

Als Nächstes hörte ich, wie die Kellertür aufging, und dann ein wahnsinniges Poltern, das mit einem Riesenkrach endete. Ich hörte Wesley am unteren Ende der Treppe weinen und bekam Panik, weil es klang, als hätte er sich richtig übel wehgetan.

Aber bald beruhigte Wesley sich wieder, und er schien das Fahrrad die Kellerstufen wieder hochzuziehen. Dann fuhr er WIEDER die Treppe hinunter, machte noch eine Bruchlandung und fing WIEDER an zu heulen. Ich übertreibe nicht, wenn ich sage, dass das anderthalb Stunden lang so weiterging. Ich dachte, irgendwann müsste Wesley doch die Nase voll haben, aber von wegen. Auf einmal fiel mir ein, wie die Stringers erzählt hatten, dass sie keinen Babysitter für Wesley finden konnten, und plötzlich konnte ich das sehr, sehr gut nachvollziehen.

Ich beschloss, Wesley zu bestrafen, weil er mich in der Waschküche eingesperrt hatte. Doch dafür musste ich hier erst einmal herauskommen. Was er VERDIENTE, war eine Tracht Prügel, aber das hätten die Stringers mir wohl nicht durchgehen lassen.

Ich würde Wesley einfach in der Ecke sitzen lassen, denn das hatten meine Eltern immer gemacht, wenn ich als kleiner Junge etwas ausgefressen hatte. Ja, als ich klein war, hat mich sogar RODRICK immer wieder in die Ecke gesetzt.

Die Sache ist nur die, ich hatte keine Ahnung, dass Rodrick mich überhaupt nicht in die Ecke schicken DURFTE. Und ich weiß nicht, wie viele Stunden ich da auf dem Stuhl in der Ecke zugebracht habe, wenn Rodrick auf mich aufpasste.

Einmal habe ich im Haus mit einem Ball gespielt, als ich mit Rodrick allein war, und versehentlich schmiss ich dabei ein Hochzeitsfoto von Mom und Dad vom Regal. Dafür verbannte Rodrick mich eine halbe Stunde lang in die Ecke.

Als Mom und Dad nach Hause kamen, sahen sie das zerbrochene Bild und wollten wissen, wer von uns das gewesen war. Ich beichtete das Ganze und erklärte ihnen, dass sie mich nicht bestrafen bräuchten, weil RODRICK das schon getan hätte.

Doch Mom sagte, die Einzigen, die Strafen aussprechen könnten, seien Dad und sie, und so kam es, dass ich für dieses Missgeschick die DOPPELTE Zeit in der Ecke absitzen musste.

Dafür, dass er mich in die Waschküche gesperrt hatte, verdiente Wesley DREIFACH langes In-der-Ecke-Sitzen, fand ich. Aber es wurde immer später, und ich hatte das Gefühl, dass ich ziemlich schlecht dastehen würde, wenn die Stringers nach Hause kamen und ich noch immer eingesperrt war.
Also fing ich an, nach einem anderen Ausgang zu suchen. Vor der Tür zur hinteren Veranda stand ein zusätzlicher Kühlschrank, und ich stemmte mich mit aller Kraft dagegen und konnte ihn gerade so weit

verschieben, dass ich mich an ihm vorbeiquetschen und die Tür aufmachen konnte.

Draußen war es richtig kalt, und ich trug nur Hose und T-Shirt. Ich versuchte die Haustür zu öffnen, aber sie war abgeschlossen.

Wenn ich diesen Jungen erwischen wollte, musste ich das Überraschungsmoment auf meiner Seite haben. Deshalb ging ich ums Haus herum und überprüfte an allen Fenstern im Erdgeschoss, ob sie sich öffnen ließen, bis ich eines fand, das nicht verriegelt war. Ich schob es hoch und kletterte ins Haus.

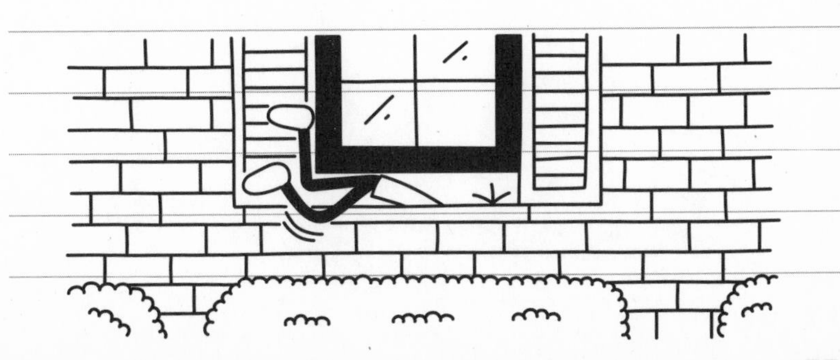

Ich landete kopfüber in einem Zimmer, und als ich mich genauer umsah, begriff ich, dass es Laurel gehören musste.

Wie gesagt war es draußen eiskalt, und ich musste mich unbedingt aufwärmen, ehe ich mich mit Wesley befasste. Ich bereue jedoch sehr, das getan zu haben, denn ausgerechnet in den paar Minuten, die ich in Laurels Zimmer war, kamen Mr und Mrs Stringer nach Hause.

Hoffentlich amüsieren wir uns irgendwann an Thanksgiving herzlich über diese Episode, aber mir scheint, es dauert noch eine ganze Weile, bis Mr Stringer darüber lachen kann.

Mittwoch

Nachdem ich mir meine Chancen bei Laurel Stringer gehörig vermasselt hatte, gab ich es mehr oder weniger auf, eine Tanzpartnerin zu finden. Jetzt sind es nur noch drei Tage bis zum Ball, und mittlerweile hat jeder, der hingehen will, eine Begleitung. Deshalb nahm ich an, dass ich den Samstagabend allein zu Hause mit Videospielen verbringen würde.

Aber gestern überbrachte Rupert mir nach einer seiner Sitzungen des Tanzkomitees Neuigkeiten, die ALLES veränderten.

Er erzählte, während der Sitzung sei Abigail Brown ganz aufgeregt gewesen. Denn Michael Sampson, der Junge, mit dem sie zusammen war, hatte eine familiäre Verpflichtung und musste ihr absagen. Jetzt hatte Abigail ein neues Kleid und niemanden, der sie zum Ball begleitete.

Daher ist die Bühne frei für mich, um hinauszustürmen und der Held zu sein. Ich sagte Rupert, sein großer Tag sei gekommen: Er könnte sich als mein Flügelmann beweisen und mich mit Abigail zusammenbringen. Die Sache war nur die: Abigail kannte mich kaum, und ich hatte so meine Zweifel, ob sie mit jemandem, den sie kaum kannte, zum Ball gehen würde. Deshalb trug ich Rupert auf, er sollte sagen, wir drei könnten ja gemeinsam als „Gruppe von Freunden" dorthin gehen. Rupert schien die Idee zu gefallen, denn für ihn war es ziemlich dumm gelaufen. Er hatte die ganze Arbeit mit dem Tanzkomitee gehabt und trotzdem keine Begleitung für den Abend.

Ich hatte mir überlegt, wir drei könnten zum Abendessen ausgehen, und im Restaurant würde Abigail dann erkennen, was für ein toller Typ ich bin, sodass wir als Paar auf dem Schulball aufkreuzen würden.

Das einzige Problem war, dass wir jemanden brauchten, der uns hinfuhr. Ich hatte nicht vor, Mom darum zu bitten, weil die Sitze in unserem Minivan voller alter Krümel und Gott weiß was sind. Und Mom bei meiner Verabredung dabeizuhaben, könnte die absolute Katastrophe bedeuten.

Wollte ich Abigail wirklich beeindrucken, musste ich eine Limousine mieten, aber so etwas kostet ein VERMÖGEN. Zum Glück kam mir eine Idee.

Ruperts Vater hat einen richtig tollen Wagen, und ich dachte darüber nach, ob wir IHN als Fahrer bekommen könnten. Abigail brauchte nicht einmal zu erfahren, dass Mr Jefferson Ruperts Vater war. Wenn wir nichts sagten, würde sie ihn für einen Berufschauffeur halten. Vielleicht konnte ich ihn sogar dazu bringen, so eine Mütze aufzusetzen, wie Chauffeure sie tragen, damit es richtig gut rüberkam.

Auf der anderen Seite konnten wir MR JEFFERSON natürlich keine Anweisungen erteilen. Er und ich sind in der Vergangenheit ohnehin nicht sehr gut miteinander ausgekommen, und ich bin mir sicher, dass er sich für mich kein Bein ausreißt.

Heute kam alles in Gang. Rupert sprach mit Abigail, und ihr gefällt die Idee mit der „Gruppe von Freun-

den". Und darüber hinaus hat Mr Jefferson eingewilligt, uns zum Ball zu fahren.
Jetzt drücke ich mir die Daumen, dass bis Samstag nichts mehr passiert, was mir wieder alles vermasselt.

Freitag

Ich habe Onkel Gary von dem Ball erzählt, und er ist fast noch aufgeregter als ich. Er wollte sämtliche Einzelheiten erfahren, wie viele Personen wir sein würden und ob wir einen DJ engagiert hätten. Das konnte ich aber alles nicht beantworten, weil Rupert ja derjenige ist, der im Tanzkomitee sitzt; solche Dinge fallen daher in seine Zuständigkeit.
Ich war mehr damit beschäftigt, etwas zum ANZIEHEN zu finden. Onkel Gary meinte, wenn ich mein Mädchen wirklich beeindrucken wollte, dann sollte ich einen Anzug tragen. In Rodricks Schrank entdeckte ich einen Anzug, den er mal zu einer von Onkel Garys Hochzeiten getragen hatte.

Und als ich in Rodricks Schublade stöberte, fand ich zwar kein Parfum, aber eine Dose mit dem Deospray, für das im Fernsehen immer so viel Werbung gemacht wird. Ich hatte aber ein wenig Bedenken, es zu benutzen, denn wenn das Zeug so wirkt, wie sie es in der Reklame behaupten, dann könnte der morgige Abend echt ein Albtraum werden.

Vor ein paar Jahren ist mein Großonkel Bruce gestorben, und ich wusste, dass in der Garage noch ein Karton mit seinen persönlichen Habseligkeiten stand. Darin fand ich eine Flasche von seinem Parfum und testete ein bisschen davon an meinem Handgelenk. Ich roch dadurch genau wie Onkel Bruce, doch das ist wahrscheinlich ungefährlicher, als dieses Deo zu benutzen.

Ich habe Dad sogar gefragt, ob er mich zum Supermarkt fährt. Dort habe ich eine Schachtel Valentinspralinen für Abigail gekauft. Ich hätte nur niemals das Zellophan abreißen dürfen, denn inzwischen habe ich die Buttercreme-, Erdnuss- und Karamellpralinen selbst gefuttert.

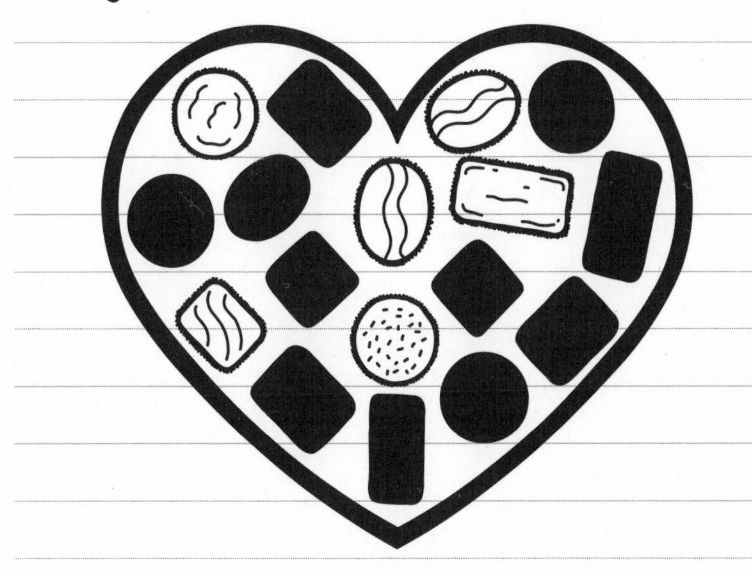

Hoffentlich mag Abigail die Kokospralinen und die Dinger, die wie Zahnpasta schmecken, denn die sind als Einzige noch übrig.

Samstag

Heute Abend ist der große Valentinstags-Ball, und wir hatten wirklich einen SCHLECHTEN Start.

Als ich Rupert abholen wollte, bemerkte ich kleine rote Schwellungen in seinem Gesicht, fast wie Mückenstiche. Aber dann begriff ich, was das für Pickel waren: Er hatte die Windpocken.

Seit Evan Whitehead vor ein paar Wochen mit Windpocken in die Schule gekommen ist, breitet sich die Krankheit in meiner Klasse aus wie ein Flächenbrand. Vergangene Woche hat die Schulschwester vier Jungen nach Hause geschickt. Ich bin mir ziemlich sicher, dass einer von ihnen der Verrückte Hosenreißer war, denn seit Dienstag hat es keine weiteren Entblößungsfälle gegeben.

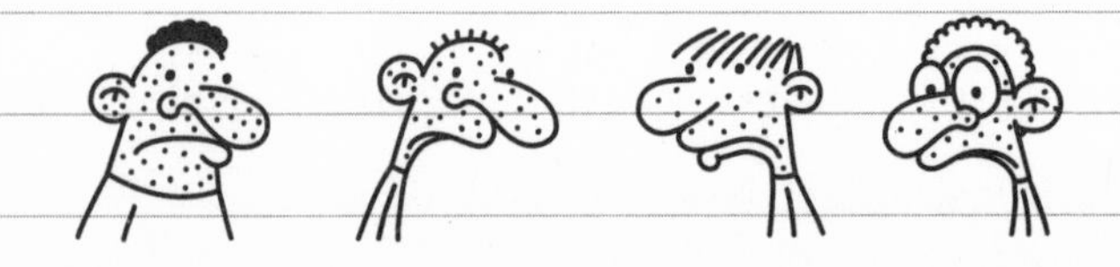

Ich habe gehört, dass Windpocken SUPER ansteckend sind, und wer sie bekommt, darf eine Woche lang nicht in die Schule. Ich konnte es mir jedoch nicht leisten, dass Rupert auch nur einen einzigen ABEND außer Gefecht war. Er stellte meine Fahrkarte zum Ball dar, und ich wusste, wenn seine Mom und sein Dad ihn nicht gehen ließen, dann konnte ich auch nicht hin.

Ich verkündete Rupert, dass er die Windpocken hat, aber ich hätte es ihm vielleicht ein bisschen schonender beibringen sollen.

Rupert wollte direkt nach unten zu seinen Eltern rennen, aber irgendwie schaffte ich es, ihn zu beruhigen, indem ich ihm versicherte, dass wir das Problem gemeinsam schon lösen würden.

Wenn er den Abend durchstehen könnte, ohne jemandem etwas zu verraten, stünde ich für den Rest meines Lebens in seiner Schuld, sagte ich ihm. Er bräuchte nur seine Windpocken zu tarnen und seinen Eltern gegenüber den Mund zu halten. Wir würden beide zum Ball gehen und eine tolle Zeit haben, und niemand müsste je davon erfahren.
Aber Rupert war zu aufgeregt, um klar denken zu können, und ich musste ihm zwei Kokospralinen geben, damit er ruhiger wurde.

Jetzt, wo Rupert wusste, dass er die Windpocken hatte, machte ihn das Jucken völlig VERRÜCKT. Also nahm ich ein Paar Socken aus seiner Kommode und streifte sie ihm über die Hände.

Ruperts Eltern wussten vermutlich, wie Windpocken aussehen, und deshalb mussten wir sie irgendwie kaschieren. Wir gingen ins Badezimmer, sahen in die Schminkkommode seiner Mutter und suchten nach Dingen, die wir benutzen konnten. Ich fand ein Zeug, das sich „Abdeckcreme" nannte, und das klang für mich nach einem Volltreffer. Mit einem kleinen Pinsel, den ich in einer Schublade entdeckt hatte, versuchte ich die Problemstellen in Ruperts Gesicht zu übermalen.

Aber man sah ganz genau, dass Rupert Make-up trug. Also nahm ich ein Seidentuch aus der obersten Schublade von Mrs Jeffersons Kommode und sagte Rupert, er sollte es sich umbinden und damit den Mund verdecken. Dann bemerkte ich, dass er auch an der STIRN ein paar Pocken hatte, doch zum Glück lag in der Kommode ein Strandhut, und den musste er aufsetzen.

Ich will nicht behaupten, dass Rupert ganz normal wirkte, aber wenigstens sah man nicht mehr, dass er Windpocken hatte.

Ich hielt echt den Atem an, als wir am Auto ankamen, aber ich glaube, Mr Jefferson hielt Ruperts Aufzug für irgend so eine Junior-Highschool-Mode-Geschichte, denn er sagte kein Wort dazu.

Ich öffnete die hintere Tür, um einzusteigen, da sah ich zu meiner Überraschung Ruperts alten Kindersitz auf der Rückbank.

Ich fragte Rupert, wieso er noch immer einen Kindersitz im Wagen seines Vaters hätte, und er erwiderte, sie wären irgendwie nie dazu gekommen, ihn auszubauen, seit er groß genug ist, um auf einem normalen Platz zu sitzen.

Und stimmt, Rupert kommt mir jedes Mal ein bisschen zu groß vor, wenn er mit seiner Familie vorbeifährt.

Ich wollte das Ding unbedingt verschwinden lassen, ehe wir Abigail abholten, denn ein Kindersitz gehört garantiert nicht zur Ausstattung einer Mietlimousine.

Aber um herauszufinden, wie man die Klemme an dem Ding löst, muss man wohl eine Art Ingenieur sein. Inzwischen waren wir bereits viel zu spät dran, also mussten wir es lassen, wie es war.

Als wir in die Einfahrt vor dem Haus der Browns eingebogen waren, bat ich Mr Jefferson zu hupen, damit Abigail wusste, dass wir da waren.

Mr Jefferson weigerte sich allerdings zu hupen, da er meinte, so könnte man mit einer „Dame" nicht umgehen. Er erklärte, einer von uns müsse zum Haus gehen, Abigail abholen und sie zum Wagen begleiten. Rupert wollte schon aussteigen, aber ich erkannte, dass das meine erste große Chance war, einen guten Eindruck auf Abigail zu machen. Also ging ich zum Haus und klopfte an die Tür.

Doch es kam gar nicht Abigail an die Tür – sondern ihr Dad. Offenbar ist Mr Brown Polizist, oder zumindest verkleidet er sich gern wie einer.

Mr Brown sagte, Abigail sei in ihrem Zimmer und mache sich fertig. In einer Minute käme sie herunter.

Er bat mich herein und ließ mich Platz nehmen, solange ich wartete. Mir kam es vor, als würden wir da eine STUNDE lang zusammensitzen, während ich herbeisehnte, dass Abigail nach unten kam. Und der Anblick der Handschellen an Mr Browns Gürtel gefiel mir dabei überhaupt nicht.

Schließlich entschied ich, dass mir ein Valentinstags-Ball so viel Stress nicht wert war, und ich wollte mich gerade verdrücken, als Abigail endlich die Treppe herunterkam.

Als Erstes fiel mir auf, dass Abigail ein echt tantenhaftes Kleid trug, und ich sah sofort, dass wir unmöglich alle drei auf den Rücksitz von Mr Jeffersons Wagen passten. Auf keinen Fall würde ich mich in Ruperts Kindersitz setzen, deshalb wollte ich freiwillig vorne mitfahren. Ich wusste außerdem, dass Mr Jefferson beheizte Vordersitze hatte, und das wollte ich zum Ausgleich auskosten.

Auf dem Beifahrersitz lag ein Stapel Papiere. Ich glaube, Mr Jefferson wollte die Wartezeit während des Balls dazu nutzen, seine Steuererklärung oder so was zu machen.

Mir war es zu lästig, den ganzen Kram wegzuräumen, weshalb ich beschloss, einfach gleich ganz hinten einzusteigen, damit es endlich losgehen konnte.

Abigail schien es nicht weiter zu stören, dass Rupert in einem Kindersitz saß, und ich bin mir ziemlich sicher, dass sie das alles für einen großen Scherz hielt.

Aber für Witze bin eigentlich ICH zuständig, und ich wollte mir von Rupert nicht die Show stehlen lassen.

Irgendwann wurde es ein bisschen still im Wagen, und ich fragte Mr Jefferson, ob er das Radio anmachen könnte. Aber statt Musik zu suchen, stellte er einen langweiligen Labersender ein, und für den Rest der Fahrt durften wir uns das Gequatsche anhören.

Garantiert machte Mr Jefferson das nur, weil er sich ärgerte, dass ich ihn mit „Fahrer" angesprochen hatte.

Rupert und Abigail begannen sich zu unterhalten, aber ich hockte direkt zwischen den Hecklautsprechern und konnte kaum verstehen, was sie redeten.

Als Mr Jefferson an den Straßenrand fuhr, dachte ich, wir wären am Restaurant. Tatsächlich hatten wir jedoch vor einer Reparaturwerkstatt gehalten, um Mr Jeffersons Staubsauger abzuholen.
In dem Moment wünschte ich mir wirklich, ich hätte das Geld für eine richtige Limousine springen lassen, denn ein professioneller Fahrer würde niemals private Angelegenheiten auf dem Weg zu einem Restaurant erledigen.

Ich hatte einen Tisch bei Spriggo's reserviert, dem vornehmen Restaurant, von dem Mom und Dad immer so schwärmen. Ich wusste zwar, dass es ein bisschen teurer war, aber ich hatte viel Taschengeld gespart und wollte Abigail wirklich beeindrucken, indem ich mich spendabel gab.

Schließlich fuhren wir auf den Parkplatz, wo Mr Jefferson die Heckklappe für mich öffnete. Als ich ausstieg, sah ich, dass mein Anzug von oben bis unten voller Schmutz von dem Staubsauger war.

Da ich nicht wie ein Ferkel aussehen wollte, ließ ich mein Jackett im Auto. Gemeinsam gingen wir ins Restaurant. Ich hatte gehofft, Rupert hätte es endlich kapiert und würde mit seinem Vater im Wagen bleiben, aber er folgte uns dicht auf den Fersen.

Das Spriggo's war UM EINIGES vornehmer, als ich gedacht hatte. Am Eingang teilte der Empfangskellner uns mit, dass es sich um ein „gehobenes Lokal" handelte und Gentlemen wenigstens ein Sakko tragen müssten.

Ich wollte auf keinen Fall mein schmutziges Jackett wieder anziehen und fragte den Kellner, ob er nicht einmal eine Ausnahme machen könnte. Er entgegnete, das könne er nicht, aber das Restaurant stelle Sakkos zur Verfügung, von denen ich mir eines ausleihen dürfe. Die Jacke, die ich bekam, war mir ein bisschen zu groß, aber ich zog sie trotzdem an.

Als wir Platz genommen hatten, stieg mir auf einmal ein entsetzlicher Geruch in die Nase, und ich versuchte herauszufinden, woher er kam. Plötzlich wurde mir klar, dass er von MIR ausging. Ich vermutete, dass das Leihsakko schon von hundert verschiedenen Männern getragen und noch nie gereinigt worden war.

Beim Essen wollte ich nicht nach dem Körpergeruch anderer Leute müffeln, also entschuldigte ich mich, ging auf die Toilette, schrubbte die Ärmel des Sakkos mit Wasser und Seife ab und trocknete sie am Händetrockner.

Damit machte ich allerdings alles nur noch SCHLIMMER, weil die Hitze den Körpergeruch aus dem Stoff heraustrieb und er sich ausbreitete.
Mir reichte es echt. Ich sagte zu Abigail und Rupert, dass wir an einen Abzockerladen geraten wären und einfach verschwinden sollten.

Ich gab dem Empfangskellner das Sakko zurück, und wir drei gingen zur Vordertür hinaus. Ich schlug vor, das Essen einfach auszulassen und direkt zum Ball zu fahren, aber Abigail hatte richtig Hunger, und Rupert sagte, er wäre ebenfalls kurz vorm Verhungern.

Das einzige andere Restaurant in der Gegend war das Landei, und ich sagte, dass ich DA auf keinen Fall hinwollte. Aber Rupert entgegnete, dass er die Nachtischtheke im Landei sehr mögen würde, und Abigail meinte, dass das gut klang.

Ich bereute es immer mehr, Rupert dabeizuhaben, denn wenn er sich immer auf Abigails Seite stellte, konnten sie mich jedes Mal überstimmen. Aber mitten im Date wollte ich keinen Streit vom Zaun brechen, also biss ich mir auf die Lippe, und wir gingen die drei Blocks zum Landei zu Fuß.

Zum Glück fiel mir noch rechtzeitig die Sache mit den Schlipsen ein, und bevor wir hineingingen, stopfte ich mir meine Krawatte schnell in die Hosentasche.

Leider hatte ich keine Zeit mehr, Rupert zu warnen, und sein Schlips wird jetzt für immer an der Wand der Schande hängen.

Im Landei ging es echt zu wie im ZOO. Wir gehen normalerweise unter der Woche dorthin, aber am Samstagabend ist hier offenbar viel mehr los.

Immerhin brauchten wir uns nicht ins Kinderland zu setzen, weil wir keine kleinen Kinder dabeihatten, aber die „Erwachsenenzone" im Landei ist auch nicht viel besser. Die beiden Bereiche sind nur durch eine Glasscheibe voneinander getrennt, und wir bekamen einen Platz gleich neben einer Familie mit einem Haufen nerviger Bälger.

Ich fragte unsere Kellnerin, ob sie uns umsetzen könnte. Sie machte zwar ein saures Gesicht, brachte uns jedoch an einen anderen Tisch. Trotzdem wünschte ich, wir wären geblieben, wo wir vorher gesessen hatten, denn der neue Tisch war nicht gerade eine großartige Verbesserung.

Ich wollte die Kellnerin nicht darum bitten, uns ein ZWEITES Mal umzusetzen, denn mit der Person, die einem das Essen serviert, sollte man es sich zu allerletzt verderben. Ich stellte daher einfach ein paar Speisekarten vor das Fenster, damit wir nichts mehr sahen.

Unsere Kellnerin brachte uns Tortillachips, und Rupert zog sich die Socken von den Händen, damit er essen konnte. Ich hielt es angesichts von Ruperts Windpocken für keine gute Idee, dass wir alle aus derselben Schüssel aßen, also behielt ich sie dicht bei mir. Jedes Mal, wenn Rupert Chips wollte, schob ich ihm einen mit einem Strohhalm zu.

Ich hatte keine Ahnung, ob Windpocken auch durch die Luft übertragen werden, deshalb hielt ich jedes Mal, wenn Rupert etwas sagte, den Atem an, nur zur Sicherheit.

Einmal erzählte er uns eine irrsinnig lange Geschichte von seinen Sommerferien, und am Ende war ich fast bewusstlos.

Ich erklärte Abigail und Rupert, dass ich das Essen bezahlen würde und sie sich bestellen konnten, was sie wollten. Ich versuchte ein bisschen vor Abigail zu protzen, indem ich mit Geld um mich warf.

Aber als die Kellnerin kam, bestellte Abigail sich ZWEI Vorspeisen, und Rupert auch.
Die Kellnerin konnte Rupert nicht gut verstehen, weil er das Halstuch trug, deshalb zog er es herunter und sprach lauter. Dabei flog aber ein Molekül seiner Spucke durch die Luft und landete auf meiner Unterlippe.

Ich ließ meinen Kiefer total erschlaffen, damit mir das Molekül nicht in den Mund drang. Nach außen hin versuchte ich mir nichts anmerken zu lassen, aber innerlich war ich voll am Ausflippen.

Ich wollte mir die Lippe mit der Serviette abputzen, aber sie war mir runtergefallen, und ich kam nicht ran. Also wartete ich ab, bis Abigail abgelenkt war, und wischte mir die Lippe an ihrem Ärmel sauber.

Wir sagten, dass wir so weit wären, und ich bestellte mir einen Hamburger ohne alles, um Geld zu sparen. Abigail entschied sich für das T-Bone-Steak, das teuerste Essen auf der Speisekarte, und Rupert nahm es auch, obwohl ich ihm ein Zeichen gab, dass er sich etwas Billiges bestellen sollte.

Als unser Essen kam, musste ich leider feststellen, dass auf meinem Hamburger Salat und Tomate waren. Im Landei machen sie echt IMMER irgendwelche Fehler. Ich nahm den Salat und die Tomate herunter, aber auf dem Fleisch war auch Mayonnaise.
Die Kellnerin lief an unserem Tisch vorbei und ich sagte ihr, dass ich einen Hamburger ohne alles bestellt hätte. Sie griff nach einer Serviette und wischte die Mayonnaise einfach ab. Dann ließ sie die Serviette mitten auf dem Tisch liegen.

Danach hatte ich keinen Appetit mehr. OBWOHL ich hungrig war, hätte ich wahrscheinlich eh nicht alles aufgegessen. Denn wenn man im Landei seinen Teller leer isst, kommt darunter ein Bild zum Vorschein, das ich echt nicht ertragen kann.

Ich saß also einfach nur da und wartete, während Abigail und Rupert ihre Steaks aßen, und als sie fertig waren, winkte ich der Kellnerin, damit sie die Rechnung brachte.

Aber da sagten Rupert und Abigail, dass sie noch Lust auf Nachtisch hätten. Wir waren ja nur wegen des Nachtischbüffets ins Landei gegangen, und das Nachtischbüffet ist im Menü enthalten. Rupert und Abigail wollten allerdings ein BESONDERES Dessert von der Speisekarte, und das kostet natürlich extra.

Schnell stand ich auf und ging zu unserer Kellnerin. Ich erzählte ihr, Rupert hätte heute Geburtstag, denn ich wusste, dass er dann seinen Nachtisch umsonst bekam. Ein paar Minuten später kamen alle Kellnerinnen und Kellner an unseren Tisch, sangen „Happy Birthday" für Rupert und gaben ihm seinen Gratiskuchen.

Abigail bestellte sich trotzdem einen dreistöckigen Schoko-Käse-Kuchen, von dem sie dann nur zwei Bissen aß. Als die Rechnung kam, konnte ich nicht FASSEN, wie hoch sie war. Ich musste mein komplettes Geld aus dem Portemonnaie nehmen und brauchte sogar noch die fünf Dollar, die ich für Notfälle immer in meiner Socke habe.

Die Kellnerin weigerte sich, den Schein aus meiner Socke anzunehmen, weil er ein bisschen feucht war, und ich musste zum Auto gehen und Mr Jefferson fragen, ob er einen Fünfdollarschein zum Tauschen hatte.

Zurück im Restaurant waren Rupert und Abigail in ein intensives Gespräch vertieft, und ich hatte den Eindruck, dass sie seit meinem Aufbruch ein gutes Stück enger zusammengerückt waren.

Ich überlegte, ob ich Abigail warnen sollte, lieber Abstand zu Rupert zu halten, aber ich hatte Angst, sie könnte uns beide sitzen lassen, wenn sie von den Windpocken erfuhr.

Wir drei stiegen wieder in den Wagen, und Mr Jefferson fuhr uns zur Schule und setzte uns vor dem Eingang ab. Zum Abschied drückte er Rupert fest an sich, was Abigail ziemlich merkwürdig vorkommen musste, wenn sie wirklich glaubte, er wäre ein professioneller Chauffeur.

Das Motto des Balls war „Mitternacht in Paris", und ich muss zugeben, dass das Tanzkomitee sehr gute Arbeit geleistet hatte. Die Turnhalle war wie eine Straße in Frankreich dekoriert. Sie hatten einen langen Tisch mit Punsch und Häppchen aufgebaut, und es gab sogar einen Schokoladenspringbrunnen, in den man Erdbeeren tunken konnte.

Wir zeigten unsere Eintrittskarten vor und stellten uns für die Fotos an. Jedes Paar wurde vor einem Pariser Hintergrund geknipst.

Als wir an die Reihe kamen, posierte ich mit Abigail vor der Kulisse, und der Fotograf machte ein Bild von uns. Ich hätte nur gern vorher gewusst, dass Rupert mit auf das Foto wollte, denn dann hätte ich darauf verzichtet.

Der DJ kam mir irgendwie bekannt vor, und als ich mich ihm näherte, sah ich, dass es Onkel Gary war. Fragt mich bitte nicht, wie DER den Job bekommen hat.

Onkel Gary hat jedenfalls seine Chance gewittert, meinen Schulkameraden seine T-Shirts aufzuschwatzen. In der Turnhalle war es dunkel, und so merkten sie nicht, dass sie über den Tisch gezogen wurden.

Gerade stand Abigail noch neben mir, im nächsten Augenblick war sie weg. Ich entdeckte sie am anderen Ende der Turnhalle, wo sie sich mit ihren Freundinnen unterhielt.

Ich habe keine Ahnung, was die Mädchen immer antreibt, in Scharen aufs Klo zu gehen, aber irgendwie machte es mich ziemlich nervös, dass es ausgerechnet JETZT geschah.

Ich wusste nicht, was Abigail von mir hielt, doch ich nahm an, dass sie es wahrscheinlich in diesem Moment ihren Freundinnen erzählte. Die Jungentoilette der Turnhalle grenzt direkt an die Mädchentoilette, also ging ich rein und presste mein Ohr an die Trennwand.

Ich hörte jede Menge Gekicher, konnte aber kein einziges Wort verstehen, weil es in der Jungentoilette so laut war.

Ich versuchte die Leute dazu zu bringen, mit dem Rumlärmen aufzuhören, hatte aber keinen Erfolg.

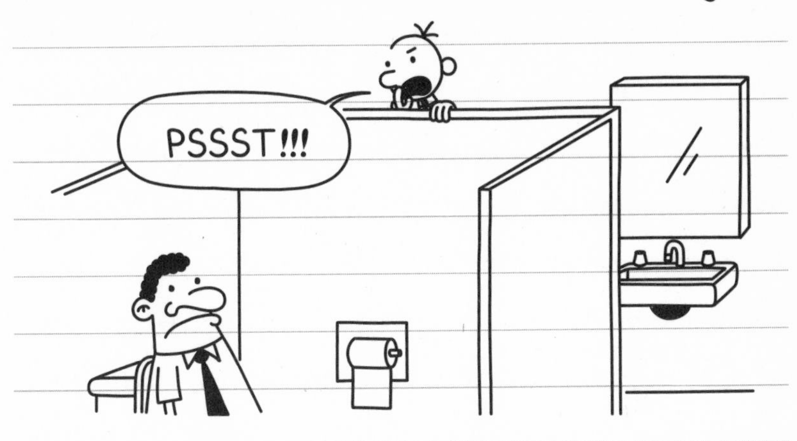

Auf der anderen Seite der Wand wurde es still. Ich ging wieder in die Halle, und Abigail und ihre Freundinnen standen beim Punsch.

Um zehn vor acht drehte Onkel Gary die Musik lauter, und es sah so aus, als würde der Ball jetzt richtig losgehen. Aber da kamen plötzlich immer mehr Leute im Alter meiner Oma herein.

Gegen acht Uhr müssen ungefähr hundert von ihnen vor dem Eingang gestanden haben. Mrs Birch unterhielt sich etwas aufgeregt mit einigen von ihnen, und ich ging näher ran, um herauszufinden, was da los war. Die älteren Leute behaupteten, sie hätten die Turnhalle für eine Bürgerversammlung gebucht, in der über das neue Seniorenzentrum gesprochen werden sollte. Eine unserer Lehrerinnen, Mrs Sheer, erwiderte, dass sie die Turnhalle schon vor zwei Wochen für den Ball reserviert hätte.

Die Senioren entgegneten, sie hätten die Turnhalle vor zwei MONATEN gebucht, und sie hatten Unterlagen dabei, die es bewiesen. Sie verlangten von uns, dass wir die Turnhalle räumen, damit sie ihre Sitzung abhalten könnten.

Dann mischten sich ein paar Mädchen aus dem Tanzkomitee in das Gespräch ein, und es sah ganz danach aus, als würde es gleich ziemlichen Stunk geben.

In letzter Sekunde, kurz bevor es zum richtigen Streit kam, schlug Mrs Sheer einen Kompromiss vor. Sie sagte, wir könnten die Trennwand in der Mitte der Turnhalle aufbauen, dann könnten die Senioren ihre Versammlung auf der einen und wir unseren Ball auf der anderen Seite abhalten.

TRENNWAND

VALENTINSTAGS-
BALL

BÜRGERVERSAMM-
LUNG „SENIOREN-
ZENTRUM"

Mit diesem Vorschlag schien jeder leben zu können, und der Hausmeister zog die Trennwand aus.

Die halbe Turnhalle zu verlieren, war ein Dämpfer für uns, aber was die Stimmung wirklich tötete, war das LICHT. Für die Deckenbeleuchtung der Turnhalle gibt es nur einen Schalter, und entweder sind alle Lampen an oder aus. Die Senioren brauchten Licht für ihre Versammlung, und das war das Ende für die „Mitternacht in Paris" auf unserer Seite der Halle.

Auch für Onkel Gary war das grelle Licht sehr ungünstig, denn jetzt konnte jeder, der ihm ein T-Shirt abgekauft hatte, sehen, dass er von Onkel Gary übers Ohr gehauen worden war, und alle wollten ihr Geld zurück.

Onkel Gary versuchte von sich abzulenken, indem er die Musik wieder aufdrehte, und viele gingen auf die Tanzfläche.

Die Mädchen tanzten in einer großen Gruppe mitten in unserer Hallenhälfte. Hin und wieder versuchte ein Junge, sich in die Gruppe hineinzutanzen, aber die Mädchen bildeten eine Art Mauer, die kein Junge durchbrechen konnte. Ich kapierte das erst, als ich in den Kreis vordringen wollte und komplett abgeblockt wurde.

Eine Seniorin kam auf unsere Hälfte der Turnhalle und beschwerte sich über die viel zu laute Musik. Wir sollten sie deutlich leiser stellen.

Onkel Gary senkte die Lautstärke also um ungefähr achtzig Prozent, und jetzt konnten wir alles verstehen, was in der Bürgerversammlung gesprochen wurde.

Die Mädchen schien das nicht weiter zu kümmern. Viele von ihnen packten ihre eigenen Musikplayer aus und tanzten einfach weiter.

Doch den meisten Jungs reichte es. Sie hatten sich die ganze Zeit mustergültig vor den Mädchen benommen, ohne etwas davon zu haben. Nun brach es aus ihnen heraus, und viele von ihnen drehten völlig ab.

Mrs Birch und der Rest der Aufsichtführenden versuchten die Jungs zu beruhigen, aber es war hoffnungslos. Es ging richtig wild zu, und allmählich wurde es sogar ein bisschen gefährlich.

Ich spielte mit dem Gedanken, mich außer Reichweite auf die Tribüne zurückzuziehen, doch in dem Moment schlug der Verrückte Hosenreißer wieder zu, und da beschloss ich, lieber dort zu bleiben, wo ich war.

Ab und an trafen Zuspätkommer ein und machten auf der Stelle kehrt, sobald sie sahen, was in der Turnhalle los war. Doch gegen neun kam Michael Sampson Händchen haltend mit Cherie Bellanger herein.

Michael war der Junge, der Abigail EIGENTLICH zum Ball hätte begleiten sollen. Seine „familiäre Verpflichtung" war wohl eine faustdicke Lüge gewesen.

Und nach seinem Gesichtsausdruck zu urteilen, bezweifle ich sehr, dass er damit gerechnet hat, Abigail auf dem Ball zu begegnen.

Danach gab es ein ganz großes Drama. Michael haute ab und ließ seine Begleitung einfach stehen, und Abigail verbrachte die nächste halbe Stunde in der Ecke der Turnhalle, wo sie sich die Augen ausheulte.

Ich tat, was ich konnte, um Abigail zu trösten, aber sie stand mitten in einer Menge von Mädchen, und ich bin mir nicht sicher, ob sie es überhaupt bemerkt hat.

Ungefähr zur selben Zeit ging die Bürgerversammlung zu Ende, und ein paar von den Senioren kamen auf unsere Seite der Turnhalle und bedienten sich am Büfett.

Im Nu hatten sie alle Erdbeeren verputzt, und dann gab es nichts mehr, das man in die Schokolade im Brunnen tunken konnte.

Also steckten die Leute ihre Finger direkt in die sprudelnde Schokolade, und plötzlich ging es zu wie im Landei.

Einem Jungen fiel eine Kontaktlinse in den Schokoladenspringbrunnen, und Mrs Sheer ließ alle einen Schritt zurücktreten, bis die Masse einmal umgewälzt worden war, und fischte sie dann wieder heraus.

Da die Sitzung vorbei war, drehte Onkel Gary die Musik wieder auf.

Aber die alten Leute fingen an, sich Lieder zu wünschen, und es dauerte nicht lange, bis unser Valentinstags-Ball von tanzenden Senioren überschwemmt war.

Ich sah dem ganzen Treiben von meinem Platz an der hinteren Wand aus zu und fragte mich, wieso ich überhaupt unbedingt auf diesen Ball hatte gehen wollen. Außerdem begann ich zu bereuen, dass ich nicht das Deo aus Rodricks Schublade benutzt hatte, denn Onkel Bryces Parfum zog eher weibliche Wesen außerhalb meiner Altersgruppe an.

Inzwischen war es fast zehn Uhr, und Onkel Gary verkündete, dass der nächste Song auch der letzte sein würde. Als die Musik begann, gingen einige tatsächlich paarweise auf die Tanzfläche – zum ersten Mal an diesem Abend.

Ich konnte es kaum erwarten, dass das Lied zu Ende ging, denn dieser Ball war eine totale Katastrophe, und ich wollte nur noch nach Hause und ein Videospiel anfangen, mit dem ich mir das gesamte Erlebnis aus dem Gedächtnis radieren konnte.
Doch gerade, als ich dachte, dass es nicht mehr schlimmer werden könnte, entdeckte ich Ruby Bird. Sie kam genau auf mich zu.

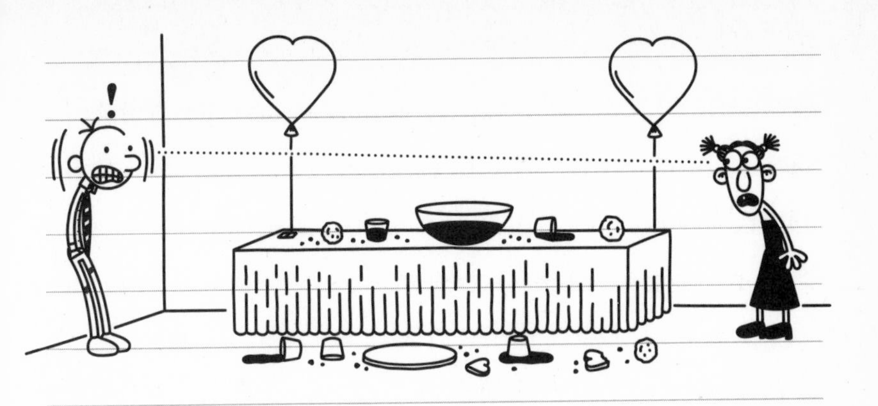

Ich wusste nicht, ob sie mich zum Tanzen auffordern wollte oder ob ich irgendetwas getan hatte, worüber sie wütend war, aber auf keinen Fall wollte ich zum krönenden Abschluss eines Schulballs auch noch gebissen werden.

Ich suchte nach einem Fluchtweg, doch ich saß in der Falle. Zum Glück kam in diesem Moment Abigail aus der Mädchentoilette, und ich ergriff ihre Hand, ehe Ruby mich erreichte.

Abigails Make-up war vom vielen Weinen völlig ruiniert, aber das störte mich nicht. Ich war einfach froh über den Vorwand, mich von Ruby fernzuhalten. Und wenn ich ganz ehrlich sein soll, dann würde ich sagen, dass Abigail genauso froh war, mich zu sehen, und ich führte sie zu einer freien Stelle auf der Tanzfläche. Ich hatte noch nie zuvor mit einem Mädchen eng getanzt und wusste nicht, wohin mit meinen Händen. Sie legte mir ihre Hände auf die Schulter, und ich stopfte meine in die Hosentaschen, aber das kam mir irgendwie blöd vor. Also trafen wir uns in der Mitte, und das erschien mir ganz angemessen.

Da entdeckte ich etwas auf Abigails Kinn: eine kleine rote Schwellung, die GANZ GENAU so aussah wie Ruperts Windpocken.

Bevor ich nun schildere, was als Nächstes geschah, möchte ich zu meiner Verteidigung doch kurz anmerken, dass ich wegen der Windpockenepidemie sowieso schon am Rande eines Nervenzusammenbruchs stand. Aber ich räume ein, dass ich VIELLEICHT ein wenig überreagiert haben könnte.

Heute wissen wir allerdings, dass es gar keine Windpocke war, sondern nur ein PICKEL. Abigails Tränen hatten ihr anscheinend die Abdeckcreme vom Kinn gewaschen.
Aber HINTERHER ist man ja immer schlauer, und in dieser Situation hätte sich wahrscheinlich jeder andere genauso verhalten wie ich.

Allerdings glaube ich nicht, dass Abigail mir da zustimmte, denn auf der Heimfahrt war sie mir gegenüber nicht gerade gesprächig.

Als wir in der Einfahrt der Browns hielten, brachte Rupert Abigail zur Tür. Das war mir nur recht, denn so konnte ich endlich die restlichen Pralinen verputzen. Nach diesem Abend hatte ich echt KOHLDAMPF.

Mittwoch

Seit dem Valentinstags-Ball ist eine Menge geschehen. Vor ein paar Tagen hat Onkel Gary sich von dem Geld, das er durch den T-Shirt-Verkauf eingenommen hat, einen Haufen Rubbellose gekauft, und mit einem davon gewann er vierzigtausend Dollar. Also zahlte er Dad das Geld zurück, das er ihm schuldete, wünschte mir Glück bei den „Damen" und zog aus.

Die andere große Neuigkeit ist, dass mich die Windpocken voll erwischt haben.

Ich kann nicht genau sagen, wo ich mich angesteckt habe, aber ich hoffe, sie sind nicht von Rupert, denn mir gefällt die Vorstellung kein bisschen, wie ein Haufen von Rupert-Viren mein Immunsystem angreift.

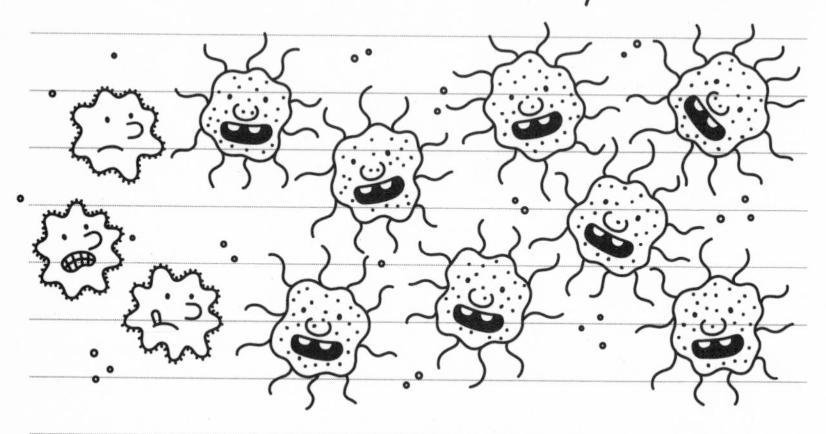

Mittlerweile bin ich aber ziemlich sicher, dass ich die Windpocken NICHT von Rupert habe. Ich habe ihn in den letzten Tagen immer zur Schule gehen sehen, und es sieht ganz danach aus, als benutze er das Make-up seiner Mutter am Kinn. Also waren seine roten Schwellungen vielleicht auch nur Pickel wie bei Abigail. Apropos Rupert und Abigail, ich habe gehört, dass die beiden jetzt zusammen sind. Dazu kann ich nur sagen: Wenn das stimmt, ist Rupert der schlechteste Flügelmann aller Zeiten.

Ich muss mindestens eine Woche zu Hause bleiben und

darf nicht zur Schule gehen. Das hat auch sein Gutes: Wenn alle aus dem Haus sind, kann ich völlig ungestört so lange ein Vollbad nehmen, wie ich will.

Trotzdem, ich gebe zu, dass dieses Im-Wasser-Treiben nicht mehr so toll ist wie in meiner Erinnerung, und nach nur einer Stunde wird die Haut ganz schrumpelig. Fragt mich also nicht, wie ich so was neun Monate lang überleben konnte.

Außerdem fühle ich mich ein bisschen einsam, wenn ich den ganzen Tag allein bin. Oder wenigstens GLAUBE ich, dass ich allein bin. Heute hatte ich mir ein frisches Badetuch neben die Wanne gelegt, und als ich die Augen öffnete, war es verschwunden.

Also spielt mir entweder jemand einen Streich, oder Johnny Cheddar hat wieder zugeschlagen.

DANKSAGUNGEN

Ich danke meiner wunderbaren Familie für ihre Ermutigung und den Spaß, den wir haben. Viele unserer alten Geschichten schimmern in meinen Büchern durch, und es war mir ein großer Spaß, dieses Abenteuer mit euch allen zu teilen. Dank an alle bei Abrams für die Veröffentlichung meiner Bücher und für die Sorgfalt, die ihnen zuteil wurde, damit sie so gut gerieten wie nur möglich. Danke an Charlie Kochman, der jedes Buch so behandelt, als wäre es das erste. Danke an Michael Jacobs für alles, was er getan hat, damit Greg sein Potenzial voll ausschöpft. Danke an Jason Wells, Veronica Wasserman, Scott Auerbach, Chad W. Beckerman und Susan Van Metre für ihr Engagement und ihre Kameradschaft. Wir hatten viel Spaß zusammen, und uns steht noch viel mehr davon bevor. Ich danke allen an meiner Arbeitsstelle – Jess Brallier und dem ganzen Team von Poptropica – für ihre Unterstützung, ihre Ermutigung und ihre Entschlossenheit, großartige Geschichten für Kinder und Jugendliche zu schaffen. Ich danke Sylvie Rabineau, meiner wunderbaren Agentin, für ihre Ermutigung und ihren Rat. Dank an Elizabeth Gabler, Carla Hacken, Nina Jacobson, Brad Simpson und David Bowers dafür, dass sie Greg Heffley und seine Familie auf der Leinwand zum Leben erweckten. Ich danke Shaelyn Germain. Sie sorgt hinter den Kulissen dafür, dass alles glatt läuft, und hilft mir auf so vielfältige Weise.

ÜBER DEN AUTOR

Jeff Kinney ist Entwickler und Designer für Online-Spiele und stand mit seinen Büchern auf dem 1. Platz der Bestsellerliste der New York Times. Das Time Magazine zählt ihn zu den 100 einflussreichsten Menschen der Welt. Er ist außerdem Urheber von Poptropica.com, die vom Time Magazine in die Liste der 50 besten Websites aufgenommen wurde. Er hat seine Kindheit in Washington D. C. verbracht und zog 1995 nach Neuengland. Jeff ist verheiratet, hat zwei Söhne und lebt im Süden von Massachusetts.